Manuel d'exégèse du
Nouveau Testament

Méthodes, exemples et exercices

Édition révisée

RANDALL A. HARRISON

© 2017, 2022 par Randall A. Harrison
entrustpublications.com

ISBN : 978-0-9887628-7-9

AVANT-PROPOS

Cet ouvrage est le résultat d'une quinzaine d'années d'enseignement de l'exégèse du Nouveau Testament à la Faculté de Théologie Evangélique de l'Alliance Chrétienne à Abidjan (FATEAC) en Côte d'Ivoire. Après avoir expérimenté plusieurs textes et méthodes d'enseignement, nous avons décidé de préparer un cours d'exégèse dans lequel nous examinons les textes qui sont les plus intéressants pour nous. Depuis le début de notre ministère d'enseignement, nous nous intéressons aux textes racontant les expériences avec l'Esprit dans les Actes des apôtres. En 2007, nous avons soutenu notre thèse de doctorat sur *L'Esprit dans le récit de Luc : Une recherche de cohérence dans la pneumatologie de l'auteur implicite de Luc-Actes,* présentée à la Faculté Libre de Théologie Evangélique à Vaux sur Seine en France. Nous avons essayé, sans grand succès, d'utiliser quelques extraits de la thèse dans un cours d'exégèse à la FATEAC. Mais les arguments présentés étaient trop longs et trop compliqués. Au fil des années, nous avons simplifié certains éléments de notre thèse dans le but de produire un outil qui donnerait des explications lisibles et intéressantes de l'exégèse des passages importants dans Luc-Actes, sur le sujet des expériences avec l'Esprit. *Bouleversé par l'Esprit : Une étude biblique sur la découverte de l'Esprit* a été publié en 2013 en anglais et en 2016 en français. Ce livre ne suffisait pas pour un cours d'exégèse parce que nous avons visé un plus large public, qui n'avait pas forcément les connaissances en grec pour un cours d'exégèse au niveau universitaire. Le livre servait d'exemple pour comprendre la complexité de l'exégèse et comment on pourrait se servir des différentes tâches d'exégèse pour résoudre un problème si complexe. L'intérêt pour ce sujet à controverse servait de motivation pour encourager les étudiants à persévérer dans les tâches d'exégèse parfois minutieuses et difficiles.

Avant la rédaction de la première édition de ce manuel, nous avons rédigé et édité des notes pendant plusieurs années sur les méthodes employées pour faire l'exégèse dans quelques passages de Luc-Actes et sur l'utilisation des outils de travail disponibles à nos étudiants. Malgré le besoin annuel d'améliorer ces notes, nous avons décidé d'en publier la première édition. Dans cette 2ème édition, nous incorporons toutes les corrections, révisions et additions que nous avons jugées utiles selon l'expérience de nos étudiants depuis la première édition. Ce manuel a été conçu pour accompagner le livre *Bouleversé par l'Esprit.* Dans ce livre, nous examinons les arguments exégétiques utiles pour définir le vocabulaire et interpréter les passages qui décrivent les expériences avec l'Esprit dans l'œuvre de Luc. Ce *Manuel d'exégèse du Nouveau Testament* présente la méthodologie de l'exégèse employée pour arriver à ces conclusions et aux arguments exégétiques qui les soutiennent.

J'adresse mes remerciements à tous mes étudiants en exégèse, qui par leurs questions et leurs difficultés à accomplir les projets d'exégèse que je leur donnais, m'ont aidé à améliorer chaque année le contenu de cette instruction et la manière de l'enseigner. Je remercie aussi mes collègues à la FATEAC pour leur soutien moral et leurs suggestions pour cet enseignement. Je remercie également Mme Mireille Lhermenault qui m'a aidé à corriger les manuscrits de la première édition et Jean-Daniel Dautry pour son travail de corrections pour la deuxième. Mon plus grand remerciement est réservé à ma chère épouse, Deanna, qui m'encourage constamment, me donne beaucoup de conseils pratiques et qui accepte souvent d'aménager notre programme familial pour me permettre de me consacrer à ce travail.

Cet ouvrage est un manuel d'exégèse contenant des explications de différents travaux d'exégèse, des exemples tirés des textes bibliques, des exercices d'exégèse et des recommandations de lecture dans *Bouleversé par l'Esprit* pour mieux comprendre ces travaux et pour préparer l'étudiant à faire son propre projet d'exégèse, ainsi que des conseils pour la rédaction d'une dissertation exégétique. Pour profiter pleinement de cet enseignement, l'étudiant doit nécessairement lire attentivement ce manuel et les pages recommandées du livre d'accompagnement, *Bouleversé par l'Esprit*, et également faire les travaux d'exégèse conseillés.

Nous avons aussi préparé des conseils pour l'emploi 'abrégé' de la méthodologie de l'exégèse dans le ministère de l'enseignement biblique. Cette petite section peut devenir la plus importante de l'ouvrage, étant donné que, dans notre service pour le Seigneur, nous risquons tous de passer plus de temps à la préparation des enseignements bibliques qu'à la rédaction des dissertations exégétiques. Que le Seigneur bénisse votre lecture, vos travaux d'exégèse et votre ministère dans son service.

Août 2022
Randall A. Harrison

Chapitre 1

Une introduction à l'exégèse

La définition de l'exégèse et son importance

Que vous lisiez la Bible pour la première fois ou que vous la lisiez depuis des années, il y a des passages qui vous semblent presque impossibles à comprendre. Il y a d'autres passages que vous pensez comprendre mais que d'autres personnes comprennent différemment. Ceci est vrai pour n'importe quel type de littérature. Mais le problème est plus sérieux pour l'interprétation de la Bible. En tant que chrétien nous voulons obéir aux principes enseignés dans la Bible. Si nous avons du mal à comprendre les textes, comment pouvons-nous obéir à ses principes ?

Comprendre les textes de la Bible est une tâche extrêmement difficile. Nous devons être reconnaissants pour tout le travail déjà accompli par une multitude d'interprètes. Leur travail permet aux chrétiens d'aujourd'hui de comprendre avec une mesure de certitude un grand nombre de sujets dans la Bible. Mais si nous voulons progresser dans notre compréhension de la Bible, nous devons continuer à examiner soigneusement les textes de la Bible. Souvent nous devons remettre en question les compréhensions mêmes que nous pensions avoir déjà saisies. Nous ne remettons pas en question l'autorité de la Bible pour la vie du croyant. Mais chaque interprète doit remettre en question sa compréhension humaine et faillible de cette Parole.

Le terme technique pour l'examen soigné du texte biblique est *l'exégèse*. C'est une recherche sur le sens original d'un texte dans son contexte historique et littéraire. Le but de l'exégèse est d'interpréter le sens du texte selon la pensée et l'intention de l'auteur. Le travail de l'exégèse présuppose que les auteurs bibliques communiquaient un message à leurs lecteurs (auditeurs) et qu'ils voulaient que ces lecteurs comprennent ce message. L'exégèse, donc, répond à la question : Qu'est-ce que l'auteur biblique voulait communiquer ?[1]

A l'opposé de l'exégèse est l'eiségèse. Au lieu de tirer le sens *venant du* texte (du grec *ek*) l'interprète lit son propre sens *dans* le texte (du grec *eis*). Tout interprète a une tendance à faire l'eiségèse en imposant le sens qui lui semble juste au texte biblique. Chaque interprète s'approche du texte avec certaines idées préconçues sur la signification du texte qui viennent de notre expérience et des doctrines ou des idées « bibliques » que nous avons apprises. Lorsque nous lisons un texte, nous avons une tendance à traduire inconsciemment le sens du texte pour qu'il s'accorde avec notre expérience et avec nos idées préconçues.

Si nous voulons éviter de lire nos idées dans le texte, nous devons soigneusement chercher le sens que l'auteur a voulu communiquer. Ce sens intentionnel d'un auteur biblique est difficile à trouver parce que nous ne pouvons plus questionner l'auteur. Nous devons nous contenter des indices qu'il a laissés dans son texte et des informations que nous pouvons acquérir sur le milieu historique dans lequel il a écrit. Nous pouvons être plus sûrs de

---

[1] Gordon D. Fee, *New Testament Exegesis : A Handbook for Students and Pastors*, 3ème éd., Westminster, John Knox, Louisville, 2002, p. 1.

notre interprétation si nous suivons quelques principes exégétiques. La règle d'or de l'exégèse est qu'il faut comprendre un texte dans son contexte, car un texte sans contexte est un prétexte pour dire ou enseigner ce que nous voulons. Ceci implique la nécessité d'une analyse du texte à interpréter et une analyse du contexte dans lequel se trouve ce texte.

Enseigner la Bible sans faire l'exégèse conduit inévitablement à l'eiségèse. Le pasteur qui veut faire un enseignement réellement biblique doit apprendre à faire l'exégèse. Ceci ne veut pas dire que tout pasteur doit apprendre la théologie, le grec et les étapes enseignées dans ce manuel. Beaucoup d'étapes d'exégèse peuvent se faire par un nouveau croyant sans formation théologique. Il faut aussi avouer qu'une formation théologique peut aussi être composée d'idées imposées au texte. L'essentiel de l'exégèse est la compréhension d'un texte dans son contexte. Dès qu'on essaie de lire et comprendre un texte dans le passage où il se trouve, on commence à faire la tâche la plus importante de l'exégèse. Mais si l'on construit son enseignement en citant quelques versets clés sans examiner les textes dans lesquels se trouvent ces versets, on court un très grand risque de lire ses propres idées dans le texte. Même si notre emploi de ces versets clés est le résultat d'un travail exégétique préalable, si nous nous servons trop souvent de textes clés sans souligner leurs contextes, nous pouvons inconsciemment encourager nos auditeurs à se servir des versets hors contexte. Ils peuvent facilement tirer la conclusion qu'on peut connaître le sens d'un texte en lisant un seul verset.

Le processus de l'exégèse

Le processus de l'exégèse est déterminé en partie par les raisons pour lesquelles on fait l'exégèse. Nous identifions 3 raisons pour faire l'exégèse :

1. Pour examiner en profondeur tout un livre biblique,
2. Pour discerner la solution au problème exégétique posé par un passage biblique,
3. Pour préparer un message ou une leçon biblique.

La première raison est celle des auteurs de commentaires exégétiques. Par commentaires exégétiques nous entendons les commentaires bibliques employant des méthodes exégétiques pour discerner le sens que l'auteur avait l'intention de communiquer dans son contexte. L'étudiant débutant n'a probablement pas besoin de faire ce genre de travail, mais il a besoin d'apprendre à discerner la différence entre un bon commentaire exégétique et un commentaire à but « homilétique ». Dans un commentaire à but « homilétique », l'auteur exprime sa propre compréhension des passages sans trop se soucier de donner des preuves exégétiques de son interprétation et sans entrer en débat avec les auteurs soutenant une autre interprétation. Les commentaires à but « homilétique » ont peu de valeur pour une thèse exégétique parce que les arguments en faveur ou contre l'interprétation de l'auteur ne sont pas assez clairement exprimés pour permettre à l'étudiant de les évaluer. On peut citer un tel auteur comme une voix supplémentaire pour appuyer une conclusion que vous avez déjà soutenue par des preuves exégétiques, mais il ne faut pas utiliser la citation d'un tel auteur comme une preuve de la validité d'une interprétation.

Quelques traits caractéristiques peuvent aider l'étudiant à reconnaître un bon commentaire exégétique. Premièrement, l'auteur donne les raisons exégétiques pour lesquelles il adopte une interprétation (explications grammaticales, définitions lexicales, remarques venant du contexte littéraire ou du contexte historique, etc.). Deuxièmement, pour les interprétations plus difficiles, l'auteur donne des interprétations d'autres auteurs et explique pourquoi ces interprétations sont moins plausibles. Troisièmement, si le commentaire est assez récent (20ème ou 21ème siècle), l'auteur donnera l'information bibliographique appuyant ses conclusions. Un bon commentaire exégétique a souvent beaucoup de notes en bas de page et une bibliographie bien fournie. Ce dernier critère est moins valable pour des ouvrages plus anciens. Par exemple, Frédéric Godet donne pas mal de preuves exégétiques pour appuyer ses conclusions, mais il avait beaucoup moins d'accès à d'autres œuvres scientifiques que les auteurs modernes et il ne ressentait pas le besoin de donner l'information bibliographique à ses lecteurs pour les auteurs cités. En conséquence, il a moins de notes en bas de page.

La deuxième raison, celle de trouver une solution au problème exégétique posé par un passage biblique, est celle des étudiants voulant écrire une dissertation ou une thèse exégétique. Etant donné le besoin des étudiants dans une faculté de théologie de produire une telle thèse, les conseils donnés dans ce manuel sont préparés selon la perspective de cette deuxième raison.

Toutefois, il serait vraiment dommage si l'étudiant ne se servait des principes exégétiques que pour la rédaction d'une thèse. Il est souhaitable que chaque étudiant apprenne à appliquer ces principes à ses préparations de messages et de leçons bibliques. Les étudiants auront certainement beaucoup plus d'occasions de délivrer un message biblique. Nous donnerons donc d'autres conseils pour faire l'exégèse d'une manière plus brève.

Les niveaux de contexte

Le processus de l'exégèse souligne l'importance du contexte littéraire et historique dans l'interprétation d'un texte. Pour mieux discerner l'importance relative des différentes tâches exégétiques présentées dans ce manuel, nous avons besoin de préciser la définition employée dans ce manuel pour le mot « contexte ». Selon le dictionnaire du *Petit Robert,* le mot « contexte » a deux sens. Nous employons le mot dans les deux sens. Premièrement, il s'agit de l'« Ensemble du texte qui entoure un élément de la langue (mot, phrase, fragment d'énoncé) et dont dépend son sens, sa valeur ». C'est une définition du contexte littéraire. Afin de pouvoir mieux définir les différentes tâches d'exégèse, nous divisons ce contexte littéraire en trois catégories : le texte (la phrase ou le paragraphe contenant l'élément de la langue que nous examinons), le contexte proche, que nous appelons un épisode (ou une péricope), dans lequel se trouve le texte et le contexte large du livre dans lequel se trouve cet épisode. La deuxième définition du *Petit Robert* est l'« Ensemble des circonstances dans lesquelles s'insère un fait ». C'est une bonne définition du contexte historique. Le sens d'un élément du texte dépend aussi des circonstances dans lesquelles s'insère le livre dans lequel se trouve le texte. Nous divisons le contexte historique en trois catégories : le contexte intertextuel (les textes dont l'auteur s'est inspiré pour la rédaction du livre), le genre du livre (le type de littérature qui a influencé sa manière d'écrire), et les circonstances historiques (toutes les circonstances dans lesquelles le livre a été rédigé). L'intertextualité et le genre d'un livre font le pont entre le contexte littéraire et le contexte historique, parce qu'on cherche les indices de ces aspects littéraires dans le contexte littéraire de notre texte. Mais il faut comparer ces indices aux aspects littéraires d'autres ouvrages écrits à la même époque, donc dans le contexte historique de notre texte. Les différents niveaux de contexte sont visualisés dans la figure 1 à la page suivante.

Dans ce manuel, l'élément de la langue que nous examinons pour préciser son sens est la proposition énoncée par Jean-Baptiste : « *il vous baptisera du Saint-Esprit et de feu* ». Le texte dans lequel se trouve cet énoncé est la phrase (paragraphe en français) de Luc 3.15-17. Ce texte se trouve dans l'épisode (contexte littéraire proche) consacré au ministère de Jean (Lc 3.1-20). Cet épisode se trouve dans le contexte littéraire large du livre de Luc-Actes. Ce livre a été composé dans le contexte historique de l'empire romain au premier siècle de notre ère.

Pour bien apprendre la méthodologie présentée dans ce manuel, l'étudiant aura besoin d'illustrations venant du texte biblique. Nous allons utiliser quelques exemples présentés dans l'ouvrage exégétique intitulé *Bouleversé par l'Esprit* par Randall A. Harrison. Dans cet ouvrage l'auteur examine les différents niveaux de contexte dans l'interprétation des expériences avec l'Esprit décrites dans Luc-Actes, l'œuvre de Luc composée de deux volumes : *l'Evangile selon Luc* et les *Actes des apôtres*.

Figure 1 : Les niveaux de contexte pour l'exégèse de Luc 3.16

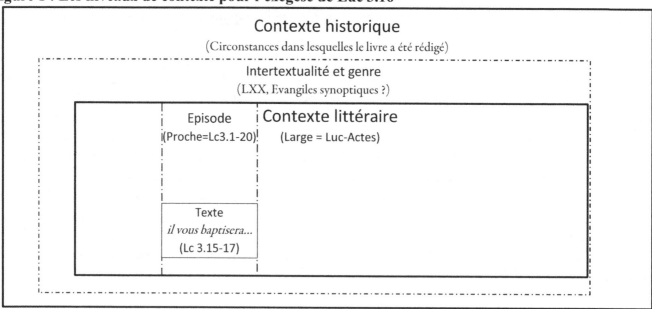

Exercices :

Les exercices dans ce manuel peuvent aider l'étudiant à compléter un devoir exégétique. Le premier chiffre de chaque exercice correspond au numéro du chapitre de ce manuel (ch. 1), le deuxième au chapitre des Actes des apôtres contenant le texte du devoir exégétique (ch. 1 ou ch. 18) et le troisième au numéro de l'exercice dans ce chapitre du manuel (1 exercice pour chaque devoir dans ce premier chapitre).

1.1.1 Lisez Ac 1.4-8.

1.18.1 Lisez Ac 18.24-28.

Chapitre 2

Le problème exégétique

L'erreur souvent commise par les étudiants en théologie est de vouloir se servir d'une thèse d'exégèse pour répondre à un problème pastoral. Les réponses aux problèmes pastoraux viennent souvent d'une compréhension plus globale de beaucoup de textes bibliques. Si l'étudiant veut vraiment trouver une solution à un problème pastoral, il vaut mieux faire une thèse de théologie pastorale pour laquelle il va faire des recherches dans des œuvres pastorales qui fondent leurs conclusions sur plusieurs textes bibliques.

La thèse d'exégèse est conçue pour répondre à un problème exégétique. On veut mieux comprendre un texte biblique. Le sens de certains textes est plus difficile à discerner. Le langage et le vocabulaire sont parfois ambigus. Les questions de base pour une thèse d'exégèse sont : Que veut dire ce texte biblique ? Que voulait dire l'auteur biblique à ses lecteurs dans ce texte ? Bien sûr la bonne compréhension d'un texte peut conduire à une application qui répond à un ou à plusieurs problèmes pastoraux, mais il ne faut pas forcer le texte à répondre à votre problème pastoral précis. Si l'étudiant choisit un problème exégétique qui aborde le même sujet que le problème pastoral qui l'intéresse, certaines implications de l'interprétation du texte pourraient éventuellement donner une solution partielle au problème. Mais si l'étudiant espère trouver « la bonne réponse » à son problème pastoral précis dans un passage biblique, le risque d'eiségèse est très grand. L'exception serait si l'auteur biblique aborde le même problème pastoral pour lequel vous voulez trouver une solution. Mais si un texte biblique parle explicitement d'un problème pastoral, c'est peu probable que vous ayez besoin de faire un grand travail d'exégèse pour trouver une solution.

Comment choisir un problème exégétique ? Si l'étudiant ne choisit pas un problème bien connu, il aura besoin d'entamer la 2ème étape présentée dans ce manuel, la revue de la littérature, afin de savoir les problèmes exégétiques déjà signalés par d'autres interprètes. Les problèmes exégétiques seront débattus par de bons commentaires exégétiques. Si l'étudiant ne trouve pas rapidement un problème débattu dans son texte, il ferait mieux de choisir un autre texte. Mais, le plus souvent, l'étudiant ne trouve pas les problèmes débattus parce que le commentaire qu'il a choisi pour faire ses recherches préliminaires n'est pas un bon commentaire exégétique. Avant de renoncer à votre texte, il faut vérifier que les commentaires que vous consultez débattent les questions d'exégèse.

Nous recommandons que l'étudiant choisisse d'abord un texte de quelques versets qui l'intéresse mais dont le sens n'est pas tout à fait clair. Un texte dont le sens vous semble clair peut aussi servir de base pour un travail d'exégèse, parce que même un texte qui semble clair peut contenir des éléments débattus dont un travail d'exégèse est nécessaire pour discerner le sens. Mais si vous voulez être plus sûr de trouver un problème assez intéressant pour mériter votre temps d'étude, il vaut mieux choisir un texte dont le sens n'est pas clair pour vous.

Ensuite, il faut lire quelques bons commentaires exégétiques sur ce passage afin de repérer les problèmes exégétiques débattus. Tous les problèmes du texte peuvent être abordés dans la thèse, mais il vaut mieux en choisir un qui sera primordial pour la compréhension de ce texte, et qui sera utile également pour une application dans votre vie ou votre ministère. Si vous ne trouvez pas un problème qui vous intéresse, il vaut mieux choisir un autre texte. Si vous trouvez un problème intéressant, il servira de base pour votre problématique.

Dans ce manuel, nous allons poursuivre un processus d'exégèse pour trouver une solution à la question suivante : Que veut dire « il vous baptisera du Saint-Esprit et de feu » (ὑμᾶς βαπτίσει ἐν πνεύματι ἁγίῳ καὶ πυρί) dans le message de Jean Baptiste (Lc 3.16) ? Le texte à examiner est Lc 3.15-17. Le problème d'exégèse est le sens de l'expression « baptiser du Saint-Esprit et de feu » dans Lc 3.16.

Conseils pour la rédaction d'une dissertation exégétique

Pour écrire une dissertation ou une thèse exégétique, l'étudiant doit choisir un problème exégétique auquel il veut trouver une solution. Ce problème exégétique peut souvent être exprimé dans une question principale. La question exégétique principale est très importante pour la rédaction d'une thèse exégétique. L'étudiant doit rédiger cette question avec soin. Elle suggère les pistes de recherche et les lignes d'analyses qu'il faut poursuivre dans le développement de la dissertation. Avant de rédiger cette question l'étudiant aura soin de faire des études préliminaires du texte et de la littérature consacrée à l'étude de ce texte (voir la revue de la littérature). Au fur et à mesure que l'étudiant progresse dans ses recherches, sa connaissance du sujet et du texte évoluera. Parfois, l'importance des différentes pistes de recherche doit être réévaluée. Parfois, la question à laquelle l'étudiant veut répondre doit être modifiée. Souvent la première question proposée par un étudiant est trop vague et demande des recherches trop vastes pour y répondre dans le temps disponible pour écrire la dissertation. Si vous changez de direction dans vos recherches, il ne faut pas oublier de retourner à l'introduction de votre dissertation pour modifier votre question principale et vos hypothèses de recherche.

Exercices :

2.1.1 Comparez la question : Que veut dire l'expression de Jésus « vous serez baptisés du Saint-Esprit » (ἐν πνεύματι βαπτισθήσεσθε ἁγίῳ) dans Ac 1.5 ? avec celle qui sera abordée dans ce manuel. Quelles sont les ressemblances ? Quelles sont les différences ?

2.1.2 Chaque fois que vous examinez une étape dans ce manuel pour répondre à la question exégétique sur l'expression de Jean-Baptiste, réfléchissez également sur la réponse à la question concernant l'expression de Jésus.

2.1.3 Quelle signification donnez-vous à l'expression « baptiser du Saint-Esprit ? Pourquoi avez-vous adopté cette conclusion ? Etes-vous capable de donner des arguments contextuels pour soutenir votre conclusion ?

2.1.4 Comparez la signification que vous donnez à cette expression et les arguments que vous utilisez pour soutenir cette interprétation avec les avis d'autres étudiants. Qu'est-ce que vous constatez ?

2.1.5 Lisez *Bouleversé par l'Esprit*, p. 24-40 et comparez les idées et les arguments présentés par les deux 'camps' pour l'expression « baptisé du Saint-Esprit » avec vos idées et celles de vos collègues.

2.18.1 Comment décrire la personne et le ministère d'Apollos selon Ac 18.24-28 est une question exégétique qui soulèvera plusieurs problèmes exégétiques. Lisez la description de la personne et du ministère d'Apollos dans Ac 18.24-28. Comparez les versions de la TOB, de Darby et de Daniel Marguerat pour les versets 24 à 26. Quelles sont les différences qui signalent probablement un problème exégétique ?

2.18.2 Chaque fois que vous examinez une étape dans ce manuel pour répondre à la question sur l'expression de Jean-Baptiste, évaluez l'importance éventuelle de cette étape pour répondre à la question sur Apollos.

Chapitre 3

La revue de la littérature

Dans une revue de la littérature, l'étudiant veut résumer l'état de la connaissance actuelle dans le domaine de son problème exégétique. Il veut « passer en revue toutes les données accessibles » et « apprécier les solutions antérieurement publiées ».[2] Nous recommandons que ce travail soit fait en deux étapes. Premièrement, nous avons besoin de parcourir rapidement quelques ouvrages exégétiques au début de nos recherches afin de pouvoir repérer les problèmes exégétiques importants dans le texte que nous examinons. Une lecture du texte en français ne révélera pas ces problèmes et nous estimons que la plupart des étudiants n'ont pas suffisamment de connaissances en grec pour les repérer facilement dans la langue originale. Donc, l'étudiant a besoin de consulter rapidement quelques sources secondaires dans le but de définir le ou les problèmes exégétiques que pose son texte.

Nous pensons que la majorité des recherches dans les sources secondaires doivent être faites, par l'étudiant, après ses recherches personnelles sur le passage. Nous avons trois raisons pour donner ce conseil. Premièrement, dans une revue de la littérature il ne suffit pas de résumer les solutions données. Il faut aussi les évaluer. Avant de faire notre propre étude du texte, nous ne sommes pas en mesure de bien évaluer les solutions antérieurement publiées. Deuxièmement, si l'étudiant examine en détail les solutions proposées par des auteurs variés, il peut facilement adopter l'opinion d'un auteur et laisser cette opinion influencer sa lecture et son interprétation du passage, surtout si les ressources qui lui sont accessibles sont limitées. Il est possible que tous les auteurs qu'il consulte soutiennent la même solution, ou que le seul auteur qu'il consulte soutenant une solution opposée ne soit pas le meilleur avocat de cette solution. L'étudiant risque de ne pas examiner objectivement les problèmes exégétiques du passage. Troisièmement, les études personnelles de l'étudiant le conduiront à découvrir d'autres sources secondaires importantes qui doivent aussi être analysées dans la revue de la littérature.

Des recherches plus soutenues des sources secondaires, après les études personnelles du texte, sont importantes. Les auteurs de commentaires exégétiques ont très souvent plus de connaissances que l'étudiant et peuvent relever des données que l'étudiant n'aura pas remarquées. Les arguments de ces auteurs peuvent peut-être changer l'avis de l'étudiant par rapport au sens du texte. Ce processus aide l'étudiant à entrer dans le débat. Ses connaissances acquises par ses propres études l'aident à apprécier le travail des spécialistes. Les arguments d'autres personnes peuvent aussi renvoyer l'étudiant à examiner les sources des arguments de ces auteurs afin de vérifier leurs conclusions.

Dans ce travail de recherches, nous voulons souligner la nécessité d'un processus de rédaction. Le débutant a une tendance à vouloir écrire sa copie finale au fur et à mesure qu'il fait ses recherches. C'est-à-dire qu'il lit le texte et prend une décision sur la question exégétique qu'il veut aborder. Ensuite, il commence à lire des commentaires

---

[2] La Faculté de Théologie Evangélique de l'Alliance Chrétienne, *La dissertation théologique : Conseils et normes formelles*, Abidjan, La Faculté, 2002.

et à écrire ses appréciations. Puis, il fait des études grammaticales et lexicales en faisant un commentaire. Un tel processus produit un travail désuni et parfois contradictoire. Il vaut mieux faire des recherches en prenant des notes copieuses, non seulement sur les avis que nous adoptons mais aussi sur les avis contraires. Dans la rédaction, il faut traiter toutes les étapes comme des brouillons qui doivent être modifiés au fur et à mesure que la connaissance de l'étudiant augmente.

Dans une revue de la littérature, le but n'est pas de lire tout ce qui a été écrit sur le sujet. Vous n'aurez probablement pas le temps de tout lire sur un sujet, même si vous limitez vos recherches à une bibliothèque. Nous voulons limiter notre champ de recherches aux ouvrages qui seront les plus utiles pour notre sujet et problème d'exégèse. On peut toujours élargir le champ de recherches à d'autres ouvrages si les limitations bibliothécaires nous empêchent de trouver suffisamment de ressources. Nous voulons surtout examiner et évaluer les œuvres phares, celles qui ont exercé le plus d'influence sur le débat exégétique par rapport à notre sujet.

Nous recommandons de commencer avec deux ou trois commentaires exégétiques les plus détaillées, ayant un plus grand nombre de références bibliographiques.[3] Il faut probablement en choisir au moins un en anglais. Ces ouvrages vont vous aider à repérer les problèmes exégétiques dans le passage que vous examinez. Il faut aussi prêter attention aux ouvrages cités par ces auteurs. Les auteurs les plus importants seront cités dans un bon commentaire, au moins dans les notes en bas de page. Dans la mesure de vos possibilités bibliothécaires, vous pourrez continuer vos recherches dans la deuxième étape de la revue de la littérature par la lecture de ces ouvrages cités.

Un bon exemple d'un commentaire exégétique bien détaillé pour Lc 3.15-17 est celui de Darrell Bock dans la série de commentaires de Baker Academic.[4] Nous signalons qu'aucun commentaire ne peut donner tous les détails dont on a besoin pour un bon travail exégétique, même celui de Bock ayant presque mille pages de commentaires sur neuf chapitres de Luc. C'est pourquoi il faut consulter plusieurs commentaires. Pour l'expression « baptiser du Saint-Esprit et de feu », Bock évalue quatre points de vue et signale les auteurs qu'il considère importants, soutenant chaque position. Il donne aussi les informations bibliographiques pour ces auteurs, qui permettent aux chercheurs d'examiner leurs arguments et de mieux apprécier les évaluations de Bock. Même si l'interprète n'est pas d'accord avec Bock, son commentaire est une bonne source pour repérer les problèmes exégétiques du passage.

Le commentaire d'Alfred Kuen sur ce passage est moins utile pour bien connaître les problèmes exégétiques du passage. Kuen emploie, bien sûr, des arguments exégétiques pour soutenir son interprétation. Il résume le contexte littéraire proche et signale certains éléments qui lui semblent importants. Ensuite, il suggère un lien intertextuel entre le baptême de Jean et une série de textes dans l'Ancien Testament qui parlent des ablutions pour une purification. Ensuite, il conclut que le baptême de Jésus a un sens « parallèle » avec celui de Jean. C'est-à-dire : le baptême de Jean représente symboliquement la purification, mais le baptême de Jésus accomplit réellement cette purification. Il cite plusieurs auteurs qui arrivent à la même conclusion et suggère des liens intertextuels pour souligner ce sens de purification.[5]

Le commentaire de Kuen est moins utile pour un travail exégétique parce qu'il n'entre pas en débat avec les auteurs ayant une autre interprétation. Il ne présente que son interprétation avec ses arguments pour la soutenir. Il ne présente pas les interprétations contraires à son avis et n'évalue pas les arguments en faveur de ces interprétations. En lisant le commentaire de Kuen, le lecteur n'a pas les informations nécessaires pour apprécier les positions variées sur le sujet.

Les auteurs de commentaires bibliques ne peuvent présenter les avis contraires pour tous les problèmes exégétiques. Chaque auteur doit choisir les problèmes pour lesquels le débat lui semble important. Kuen ne semble

---

[3] Pour une liste de commentaires exégétiques sur les passages examinés dans ce manuel, voir cette section dans la bibliographie.
[4] Baker Exegetical Commentary on the New Testament, *Luke*, vol. 1, Grand Rapids, 1994.
[5] *Le Saint-Esprit : Baptême et plénitude*, Saint Légier sur Vevey, Emmaüs, 1976, p. 64-68, réimprimé en 2005 intitulé *Baptisé et rempli de l'Esprit*.

pas vouloir évaluer les avis contraires. Bock entre en débat pour un sujet, mais il donne des explications exégétiques pour d'autres problèmes sans entrer en débat avec les avis contraires. Toutefois, si un auteur ressent le besoin de donner une explication exégétique pour le sens d'une expression, l'étudiant doit comprendre que le sens de l'expression n'est pas évident. D'autres explications sont possibles, même si l'auteur ne les mentionne pas. Par exemple, Pour le baptême d'eau de Jean, Bock adopte la position que le terme ὕδατι (Lc 3.16) est un datif instrumental qu'on pourrait traduire *avec l'eau*. Il ne donne pas d'autres possibilités de traduction. Mais le fait qu'il donne cette explication montre que d'autres possibilités existent. Nous verrons que la fonction de ce terme est débattue. D'autres interprètes le traduisent *dans l'eau*. Bock décrit aussi l'attente messianique associée à l'attente des auditeurs de Jean-Baptiste (Lc 3.15) sans préciser les sources de cette information, probablement parce qu'il ne s'agit pas d'un sujet à grand débat. La mention de cette attente juive peut servir d'indice pour un étudiant attentif, que les recherches sur le sujet peuvent aboutir à des informations utiles pour la compréhension du passage.

Pour la présentation d'une thèse d'exégèse, une revue de la littérature importante est souvent exigée. Pour le sujet du concept de l'Esprit dans Luc-Actes, les exemples suivants peuvent servir d'exemples : François Bovon, « Le Saint-Esprit », *Luc, le théologien : Vingt-cinq ans de recherches (1950-1975)*, 2ème éd. augmentée, Genève, Labor et Fidès, 1988, p. 211-54 ; Max Turner, « Diverging Explanations of Luke's Conception of the Essential Character of the Gift of the Spirit », *Power from on High : The Spirit in Israel's Restoration and Witness in Luke-Acts*, JPTSS 9, Sheffield, Sheffield Academic, 1996, p. 38-79 ; Robert P. Menzies, *Empowered for Witness : The Spirit in Luke-Acts*, JPTSS 6, Sheffield, Sheffield Acacemic, p. 18-44 ; Randall Harrison, « Comment discerner la perspective lucanienne de l'Esprit ? », *L'Esprit dans le récit de Luc : Une recherche de cohérence dans la pneumatologie de l'auteur implicite de Luc-Actes*, Thèse de doctorat, Faculté Libre de Théologie Evangélique, Vaux sur Seine, 2007, p. 1-40.

Conseils pour la rédaction d'une dissertation exégétique

Il faut connaître ce qui est exigé pour chaque dissertation ou thèse. Pour une thèse importante, une revue de la littérature est souvent exigée. Pour d'autres dissertations plus courtes, les preuves d'une bonne revue de la littérature apparaîtront dans le nombre, la qualité et la diversité des notes en bas de page. Que la revue soit exigée ou non, l'étudiant sage rédigera un bref résumé et une évaluation de chaque œuvre consultée dans ses recherches. On peut facilement oublier ce qu'on a trouvé dans chaque ouvrage. Le résumé et l'évaluation peuvent faire gagner du temps au chercheur consciencieux.

Nous recommandons la création d'un document pour chaque ouvrage consulté, contenant l'information bibliographique et des notes sur des informations importantes pour la rédaction de votre dissertation (ce qui s'accorde avec vos conclusions anticipées et les avis contraires). Il faut prendre des notes selon la disponibilité de l'ouvrage consulté. Si l'ouvrage vous appartient, vous pouvez souligner chaque élément important dans l'ouvrage et le résumer dans votre document. Si l'ouvrage ne sera pas disponible lorsque vous allez rédiger votre dissertation, [p. 9] il faut prendre des notes plus complètes en indiquant la position, dans la phrase, d'un changement de page. Nous avons mis « p. 9 » entre crochets dans la phrase précédente à titre d'exemple. Cette notation indiquerait que la première partie de la phrase se trouve à la page 8, et la partie suivant la virgule à la page 9. Ce type de notation est utile lorsque vous décider de citer ou d'utiliser seulement une partie de la pensée ou de la citation d'un auteur. Sans cette notation dans la phrase, vous ne saurez pas si votre citation s'arrête à la page 8 ou continue jusqu'à la page 9.

Si vous pensez devoir citer un auteur, il faut soit photocopier ou scanner les pages concernées, soit les reprendre mot pour mot dans vos notes. Les deux méthodes sont bonnes. Les photocopies vous donnent la possibilité de vérifier plus tard l'exactitude de votre citation et de revoir au moins une partie de son contexte, mais les notes copiées dans un document mot pour mot peuvent être copiées et colées dans votre dissertation. Ce système de notation vous permet aussi de coller tous les documents de tous les ouvrages consultés dans un grand document, et de rechercher tous les emplois d'un mot de vocabulaire dans toutes vos recherches afin de pouvoir trouver les auteurs qui ont parlé de tel ou tel sujet. Mais si vous copiez le texte mot pour mot dans un document, il faut vérifier tout de suite l'exactitude de votre copie.

　　　　Il faut faire votre résumé et votre évaluation de l'ouvrage quand vous aurez terminé de prendre vos notes. Mais si votre consultation d'un ouvrage est interrompue, il vaut mieux faire le résumé et l'évaluation tout de suite et les réviser une fois que vous aurez terminé de le consulter. Si vous rédigez votre résumé et votre évaluation en dernier, vous pouvez toujours les insérer plus tard entre l'information bibliographique et les notes que vous avez prises.

Exercices :

3.1.1 Parcourez le rayon des commentaires consacrés aux Actes des apôtres, dans une bibliothèque d'institution théologique, et choisissez 3 commentaires de tailles différentes (gros, moyen, petit). Parcourez rapidement les pages consacrées à Ac 1.1-11 dans chaque commentaire. Notez, dans chaque ouvrage, le pourcentage consacré aux notes en bas de page. Notez aussi le nombre de pages consacrées à la bibliographie, dans chaque ouvrage. Lesquels de vos ouvrages sélectionnés sont des commentaires exégétiques ? Lesquels sont à but homilétique ?

3.1.2 Lisez la section consacrée à Ac 1.1-11 dans au moins 2 commentaires exégétiques. Notez les problèmes d'exégèse signalés et les types d'arguments exégétiques employés pour répondre à ces problèmes.

3.1.3 Lisez *Bouleversé par l'Esprit*, p. 133-39 et décrivez les types d'arguments exégétiques présentés pour soutenir l'interprétation de l'auteur.

3.18.1 Lisez le commentaire et les notes en bas de page de Daniel Marguerat dans l'extrait de son commentaire sur *Les Actes des apôtres (13-28)*, p. 188-89 et décrivez les problèmes exégétiques indiqués.

3.18.2 Lisez le commentaire de Craig Keener dans l'extrait de son commentaire sur le même passage,[6] *Acts : An Exegetical Commentary*, vol. 3, Baker Academic, Grand Rapids, 2012, et décrivez brièvement les problèmes exégétiques indiqués. Comparez les informations données par Keener avec celles données par Marguerat.

---

[6] Les étudiants n'ayant pas une bonne connaissance de l'anglais peuvent lire une traduction de cet extrait faite par Google translate.

Chapitre 4

Les pistes de recherche

Ayant déterminé le texte que nous voulons examiner et le problème exégétique que nous voulons résoudre, nous sommes prêts à faire l'exégèse du passage. La Bible ne nous enseigne pas de méthode pour faire l'exégèse d'un passage. Nous sommes convaincu que les auteurs bibliques ont voulu communiquer des messages précis à leurs destinataires (lecteurs ou auditeurs), que Dieu les a choisi pour communiquer ces messages et que son Esprit a facilité cette tâche (2 Ti 3.16). Bien que nous ayons le même Esprit pour nous aider à comprendre ces messages (Jn 14.26), il semble évident que nous avons besoin d'examiner le texte d'un auteur dans son contexte littéraire et historique si nous voulons le comprendre et en faire une mise en application dans notre contexte aujourd'hui. Le grand nombre d'interprétations à notre disposition pour un texte biblique montre qu'il n'y a pas une méthodologie qui garantisse une bonne interprétation.

Dans ce manuel, nous voulons présenter certains outils et certaines méthodes pour mieux faire l'exégèse. Nous proposons 9 pistes de recherche qui peuvent être utiles pour effectuer un bon travail exégétique. Nous allons présenter ces pistes dans l'ordre de la proximité du texte (voir figure 1, p. 4). La première étape sera d'examiner en détail le texte grec contenant le problème exégétique. L'étape suivante sera d'examiner le contexte littéraire dans lequel se trouve notre texte. Puis nous examinerons le contexte historique dans lequel notre texte a été écrit. Une fois que nous aurons discerné le sens du texte dans ses contextes littéraire et historique, nous comparerons ce contexte historique avec notre contexte moderne afin de pourvoir faire une mise en application appropriée à notre contexte.

Dans ce manuel, nous présentons une piste de recherche à la fois, mais l'étudiant doit comprendre que ces pistes sont souvent interdépendantes, et qu'une bonne méthodologie exégétique exige parfois un va et vient entre les différentes pistes. Par exemple, pour déterminer le sens précis d'un mot de vocabulaire (piste 3), il faut examiner le contexte littéraire dans lequel il est employé (pistes 4 et 5) et parfois les liens intertextuels (piste 6) qui ont inspiré son emploi dans ce contexte.

Les pistes de recherche utiles pour l'examen du texte

1. Il faut déterminer *le texte* à interpréter. Pour le Nouveau Testament il existe un bon nombre de leçons variantes. C'est-à-dire il y a plusieurs copies anciennes des différents manuscrits du Nouveau Testament qui ne sont pas identiques. L'exégète doit décider quelles leçons représentent le mieux le texte original de l'auteur. On appelle cette étude *la critique textuelle.*
2. Il faut examiner *la structure* du texte. Il faut examiner les liens entre les mots, les propositions, les phrases et éventuellement les paragraphes du texte. Les indices viennent d'une étude des formes grammaticales et de l'articulation logique du texte.

3. Il faut examiner *le vocabulaire* du texte. Le choix du vocabulaire en français pour traduire les termes en grec n'est pas toujours évident. Souvent le terme choisi pour la traduction ne communique pas avec précision ce que le terme grec veut dire. Il faut donc étudier la signification en grec des mots importants du texte.

Les pistes de recherche utiles pour l'examen du contexte littéraire

4. Il faut examiner *le contexte littéraire proche* du texte. L'étude du contexte littéraire est probablement l'étape la plus importante pour interpréter le sens d'un texte selon la pensée et l'intention de l'auteur. Dans cette étape on cherche les indices donnés par l'auteur lui-même pour l'interprétation de son texte. Nous divisons l'étude du contexte littéraire en deux étapes parce que la longueur des textes à examiner exige une méthodologie différente pour chaque étape. Dans l'examen du contexte littéraire proche, on étudie les textes juste avant et juste après le texte que nous essayons d'interpréter. Le plus souvent, c'est le passage qui fournit les indices les plus importants pour l'interprétation du texte. Dans les récits du Nouveau Testament, il faut surtout examiner l'épisode dans lequel le texte se trouve. Dans les textes des épitres, il faut essayer de trouver le début et la fin du sujet abordé dans votre texte.

5. Il faut examiner *le contexte littéraire large* du texte. Un auteur écrit son livre selon un but ou selon plusieurs buts. Le contexte littéraire large est le livre dans lequel se trouve le texte que nous interprétons. Si nous arrivons à discerner comment notre texte contribue à la réalisation de ce(s) but(s), nous aurons des indices pour comprendre le texte. Dans les récits du Nouveau Testament, certaines phrases de transition, qui introduisent un ou plusieurs épisodes, peuvent aussi fournir des indices pour la compréhension d'un texte.

Les pistes de recherche utiles pour l'examen du contexte historique

6. Il faut examiner *les liens intertextuels* avec le texte. L'intertextualité est « la présence d'un texte dans un autre texte ».[7] C'est-à-dire : un auteur se sert d'un autre texte dans la rédaction de son texte. L'exemple le plus clair dans le Nouveau Testament est la présence de l'Ancien Testament. Tous les auteurs du Nouveau Testament semblent avoir eu comme base de réflexion la version des Septante de l'Ancien Testament.[8] Dans l'interprétation d'un texte du Nouveau Testament, il faut sérieusement considérer la possibilité de son influence sur les auteurs du Nouveau Testament. On trouve de nombreuses citations et allusions à ces textes. Beaucoup de vocabulaire est emprunté à ces textes. On trouve aussi beaucoup d'idées et d'échos qui émanent de son influence.

   Un autre exemple clair d'intertextualité est la présence de textes parallèles dans les Evangiles synoptiques. Mais l'impossibilité de déterminer la chronologie de ces textes, ou le contenu des sources orales ou écrites utilisées dans la rédaction de ces textes, rend difficile la reconstruction de liens de dépendance entre ces parallèles, créant une difficulté majeure pour tirer des conclusions fermes sur l'influence d'un texte sur un autre.

7. Il faut discerner *le genre littéraire* du texte. Un genre littéraire est un schéma général qu'on suit lorsqu'on écrit telle ou telle sorte de texte. Les auteurs bibliques ont suivi consciemment ou inconsciemment certaines conventions littéraires, comme les autres auteurs de leur époque. Une connaissance des conventions littéraires du genre de littérature qui ont influencées un auteur biblique peuvt donc aider l'interprète à discerner les idées que l'auteur a voulu communiquer.

---

[7] Daniel Marguerat et Yvan Bourquin, *La Bible se raconte : Initiation à l'analyse narrative*, Paris-Genève-Montréal, Cerf-Labor et Fides-Novalis, 1998, p. 134.
[8] Joseph A. Fitzmyer, « The use of the Old Testament in Luke-Acts », Society *of Biblical Literature 1992 Seminar Papers*, éd. Eugene H. Lovering Jr., Atlanta, Scholars, 1992, p. 533-34.

Dans les pistes 6 et 7, le chercheur compare l'œuvre biblique avec d'autres œuvres littéraires de l'époque du Nouveau Testament afin de discerner l'influence éventuelle de ces écrits sur l'auteur biblique. Cette littérature contemporaine est un élément important du contexte historique, pour la compréhension de nos textes bibliques.

Les autres livres du Nouveau Testament font aussi partie de cette littérature contemporaine et ils peuvent fournir des informations utiles pour comprendre le contexte historique de notre texte. Le même auteur a peut-être écrit d'autres livres dans le canon du Nouveau Testament. Les pensées exprimées ailleurs par le même auteur, ou sa manière d'utiliser le même vocabulaire à d'autres endroits, peuvent donner quelques indices sur sa pensée ou sur son emploi du vocabulaire dans le texte que nous étudions. Les autres auteurs du Nouveau Testament qui écrivaient à la même époque historique avaient certainement une expérience et un répertoire plus proche de l'auteur que les nôtres. Leurs idées peuvent donner d'autres indices. Mais il faut éviter d'harmoniser les auteurs bibliques. Comme un mot de vocabulaire peut avoir plusieurs sens, deux auteurs, ou le même auteur, peuvent communiquer deux choses différentes avec le même vocabulaire. Le contexte littéraire est plus important pour discerner le sens d'un mot dans son contexte, que l'emploi du même mot dans un autre livre du Nouveau Testament.

8. Il faut examiner *les circonstances historiques*. Cette étape est de loin la plus difficile à maîtriser. La quantité d'information disponible sur les circonstances politiques, religieuses, géographiques, sociales, économiques, etc. de l'époque du Nouveau Testament est énorme et grandissante. Il est important de ne pas sous-estimer cette étape. Chaque auteur présuppose un certain répertoire en commun avec ses lecteurs, c'est-à-dire « toutes les capacités et connaissances que les lecteurs d'une culture particulière sont censés posséder afin de pourvoir lire avec compétence : (1) langue ; (2) normes sociales et scripts culturels ; (3) littérature classique et canonique ; (4) conventions littéraires ... et (5) faits historiques et géographiques connus communément ».[9] Pour comprendre le message d'un auteur il faut essayer de connaître son répertoire par une étude de son contexte historique.

La piste de recherche importante pour une bonne mise en application

9. Il faut examiner *le contexte moderne*. L'exégète doit interpréter le texte pour les lecteurs modernes. Donc, il faut aussi comprendre le contexte moderne afin de pouvoir évaluer les différences et les ressemblances entre les deux horizons et de pouvoir évaluer comment le texte peut s'appliquer au monde moderne. L'application du texte au contexte moderne n'est pas réellement une étape de l'exégèse selon la définition classique du terme. C'est plutôt le but ultime de l'exégèse biblique. Nous ne voulons pas que cette étape soit faite au hasard selon l'intuition de chaque exégète. Un bon exégète doit aussi suivre de bonnes méthodes logiques dans l'application du texte.

En général, il faut donner la priorité aux indices des différents contextes dans l'ordre que nous les avons présentés : texte (critique textuelle, structure et vocabulaire), contexte littéraire proche, contexte littéraire large, liens intertextuels et circonstances historiques. Il semble peut-être étrange de donner la priorité aux indices tirés de la Septante avant les indices tirés du Nouveau Testament, mais il faut se rappeler que les auteurs du Nouveau Testament n'avaient pas en main une copie du Nouveau Testament. Leur « Bible » était la Septante. Toutefois, il faut

---

[9] Définition d'« *extratextual repertoire* » donnée par John A. Darr, *On Character Building : The Reader and the Rhetoric of Characterization in Luke-Acts*, Louisville, Westminster/John Knox, 1992, p. 22, notre traduction.

évaluer l'importance des différents indices pour chaque texte. Pour certains passages, la priorité des différents niveaux de contexte peut changer. Par exemple, les indices trouvés dans les autres écrits par le même auteur sont assez souvent plus importants que les liens du texte avec la Septante.

Le nombre de pistes à suivre et la quantité d'information qu'il est possible d'en tirer dépassent souvent les capacités du chercheur. Nous n'achevons jamais complètement un travail d'exégèse. C'est pourquoi nous devons établir des priorités dans nos recherches. Selon notre temps disponible, il faut choisir les pistes que nous allons suivre et établir la priorité que nous allons donner à chaque piste. Si nous avons peu de temps, nous devons aller à l'essentiel et sélectionner une ou deux pistes auxquelles donner une priorité dans nos recherches. Si nous avons beaucoup de temps, nous pourrons suivre davantage de pistes.

Comment choisir les pistes de recherche à suivre ? A notre avis, le contexte littéraire, surtout le contexte littéraire proche est toujours prioritaire dans l'exégèse. Les autres pistes sont importantes selon le texte et le problème d'exégèse choisi. Si le problème d'exégèse contient des mots de vocabulaire dont le sens n'est pas clair, cette piste devient importante. Si la syntaxe n'est pas claire, cette piste devient importante. Le plus souvent, l'étudiant a du mal à discerner les pistes importantes avant de faire l'exégèse. Les premières recherches dans la revue de la littérature l'aideront à repérer les pistes importantes. De quelles pistes les exégètes se sont-ils servis pour trouver une solution au problème dont nous recherchons la solution ? Ont-ils parlé du vocabulaire ou des liens grammaticaux ? Ont-ils mentionné des textes de l'Ancien Testament, ou des aspects de la culture de l'époque ?

Pour notre problème exégétique concernant le sens de l'expression « baptiser du Saint-Esprit et de feu » dans Luc 3.16, nous avons trouvé que toutes les pistes de recherche sont importantes sauf la critique textuelle. C'est une des raisons pour lesquelles nous avons choisi ce problème : nous pourrons ainsi montrer comment l'information glanée par chacune de ces pistes peut nous aider à comprendre le sens de cette expression dans son contexte.

Les pistes de recherches pour mieux comprendre le sens d'un passage

Si le but de l'exégète est de mieux comprendre le sens d'un passage pour donner un message ou un enseignement biblique, nous recommandons une approche moins compliquée en suivant un ordre différent. L'exégète ne commencera pas avec l'identification d'un problème exégétique. Il veut plutôt acquérir d'abord une connaissance globale du passage dans le but de discerner les thèmes principaux et le fil de la pensée de l'auteur.

Ce changement de point de départ vient du but visé par l'exégète. Si l'exégète veut résoudre un problème, il vaudrait mieux commencer par le travail des exégètes sur ce problème afin de connaître les points de débat déjà établis dans la discussion exégétique sur ce passage. Sinon, l'exégète peut perdre beaucoup de temps dans l'examen de détails peu importants pour résoudre son problème. Mais si l'exégète veut simplement mieux comprendre le passage pour donner un enseignement, il n'a pas besoin d'examiner en profondeur tous les problèmes exégétiques du passage. Il doit choisir les éléments à examiner selon les buts de son enseignement.

Exercices :

4.1.1 Selon les deux commentaires exégétiques que vous avez consultés dans votre travail initial de revue de la littérature, essayez de discerner les meilleures pistes de recherche pour déterminer la signification de la proposition « vous serez baptisés du Saint-Esprit » dans Ac 1.5.

4.18.1 Selon les commentaires exégétiques de Marguerat et Keener, que vous avez consultés dans votre travail initial de revue de la littérature, essayez de discerner les meilleures pistes de recherche pour préciser la description de la personne et du ministère d'Apollos dans Ac 18.24-26.

Chapitre 5

La critique textuelle

Le lecteur moderne peut facilement constater que certaines phrases se trouvent dans une Bible et pas dans d'autres. Par exemple, l'explication sur l'ange qui agite l'eau dans la piscine de Bethesda (Jn 5.4) ne se trouve pas dans la version TOB. Pourquoi cette phrase se trouve dans la version de Louis Second et pas dans la TOB ? La réponse à cette question est du domaine de la critique textuelle. Ceux qui ne comprennent pas le travail de la critique textuelle ont tendance à se confier dans les plus anciennes versions parce que celles-là leur sont familières. Mais les versions plus récentes représentent souvent mieux l'original tel qu'écrit par l'auteur du texte.

Le problème de la critique textuelle existe parce que nous n'avons pas les documents originaux du Nouveau Testament. Par exemple, nous n'avons pas la lettre écrite par l'apôtre Paul aux Romains. Cette lettre et tous les autres documents originaux écrits de la main des apôtres et d'autres sont perdus. Ils circulaient certainement dans les églises du premier siècle. Mais l'usage excessif les aurait probablement détruits. De toute façon, la copie originale ne suffisait pas pour répondre aux besoins des églises primitives. Les premiers chrétiens auraient copié les documents pour répondre à leurs besoins. Ce travail se faisait à la main. Une personne lisait le document et faisait sa copie avant de l'envoyer à la personne suivante. Parfois, une personne lisait le document à haute voix devant un groupe de copistes qui faisaient chacun une copie. On peut imaginer la difficulté de reproduire exactement le document original dans un tel processus.

Aujourd'hui, donc, nous n'avons que des copies de copies de ces documents. Ces manuscrits ne sont pas tous identiques. Ils contiennent des variations que nous appelons les leçons variantes. Nous avons environ 5000 manuscrits grecs du Nouveau Testament, entiers ou en morceaux. Les meilleurs en entier et les plus valables remontent à l'année 350 environ, c'est-à-dire environ 300 ans après la rédaction de l'original. Certains morceaux datent du deuxième siècle, entre 50 et 150 ans après la rédaction des originaux. Le grand nombre de manuscrits et leur ancienneté justifient la valeur accordée à ces documents. Si l'on compare les manuscrits existants du Nouveau Testament avec ceux qui existent pour d'autres documents anciens, on constate qu'il y a très peu de copies pour ces derniers et que leurs copies sont beaucoup moins fiables. Par exemple, nous possédons plusieurs copies de *La guerre des Gaules* de César (composée entre 58 et 50 av. J.-C.), mais seulement 9 ou 10 qui soient valables et le plus ancien d'entre eux est postérieur de 900 ans à l'époque de César.[10]

Le travail de la critique textuelle consiste à « déterminer, à partir des preuves disponibles, et avec autant d'exactitude que possible, quels sont les mots originaux des documents ».[11] Pour chaque cas de variation dans les

---

[10] F. F. Bruce, *Les documents du Nouveau Testament : Peut-on s'y fier ?*, Fontenay-sous-Bois, Opération Mobilisation, 1977, p. 16-17.
[11] Ibid., p. 21.

manuscrits, nous essayons de déterminer quelle leçon contient le ou les mots originaux. Ce travail a déjà été fait par des éditeurs des textes en grec du Nouveau Testament. Deux éditions sont facilement disponibles et donnent un résumé du travail textuel dans un *apparat critique* en bas de chaque page : 1) *Novum Testamentum Graece : post Eberhard et Erwin Nestle*, 28ᵉ éd., rév. par K. Aland et al., Stuttgart, Deutsche Bibelgessellschaft, 2012 (abréviation NA28) et 2) *The Greek New Testament*, 5ᵉ éd., rév. par B. Aland, K. Aland, J. Karavidopoulos et C. M. Martini, Stuttgart, United Bible Societies, 2014 (abréviation UBS). Pour comprendre l'apparat critique des deux éditions il faut lire l'introduction. L'apparat de NA est plus complet que celui de l'UBS parce que l'UBS a été conçu pour les traducteurs et ne contient que les leçons qui peuvent changer la traduction. On peut voir des images de beaucoup de manuscrits anciens sur le site du Center for New Testament Manuscripts.[12]

La critique textuelle est une science très technique et l'interprète doit très souvent faire confiance aux spécialistes. L'étudiant ne deviendra pas expert dans la matière au moyen d'un cours d'initiation à l'exégèse. Néanmoins, l'étudiant est obligé de choisir le texte à examiner pour faire son travail d'exégèse. En plus, l'étudiant rencontrera des traductions différentes et des commentaires différents basés sur des leçons variantes des textes. Dans ces cas l'étudiant est obligé de choisir entre les différentes leçons. Une certaine connaissance de la critique textuelle aidera l'étudiant à reconnaître les leçons encore débattues et à évaluer les arguments donnés dans les commentaires bibliques.

Les types de leçons variantes

Les leçons variantes peuvent être accidentelles ou délibérées. Les leçons accidentelles viennent d'un lapsus de la vue, de l'ouïe ou du cerveau. Les leçons délibérées viennent très souvent du copiste qui veut consciemment ou inconsciemment améliorer le texte. Il y a 4 types de leçons variantes.

1. *Un ajout.* Le copiste ajoute un ou plusieurs mots au texte.
2. *Une omission.* Le copiste omet un ou plusieurs mots du texte.
3. *Une transposition.* Le copiste change l'ordre des mots.
4. *Une substitution.* Le copiste substitue un ou plusieurs mots par un ou plusieurs mots dans le texte qu'il écrit.

Les critères employés dans l'évaluation des leçons variantes

Lorsque plusieurs leçons se présentent dans les différents manuscrits et traductions du Nouveau Testament, l'interprète doit les évaluer afin de choisir celle qui, selon les probabilités, représente l'original. Un certain nombre de critères ont été établis dans l'évaluation de ces leçons. La règle de base est de choisir « la leçon qui explique l'origine des autres ».[13] Trois types d'indices sont examinés dans ce choix : 1) les indices externes de la fiabilité des manuscrits, 2) les indices internes du document et 3) les probabilités de transcription.[14]

Les indices externes –

1. La date et le caractère des témoins – En général, les manuscrits les plus anciens ont moins d'erreurs. Des erreurs peuvent se produire chaque fois que le manuscrit est recopié. Les manuscrits les plus récents sont probablement des copies de copies de copies… et risquent d'avoir plus d'erreurs. Mais il faut aussi considérer

---

[12] https://manuscripts.csntm.org/
[13] M.-J. Lagrange, *Introduction à l'étude du Nouveau Testament, 2ᵉ partie, Critique Textuelle II, La Critique Rationnelle*, 2ᵉ éd., Paris, Gabalda, 1935, p. 21. Cf. aussi Bruce M. METZGER, *The Text of the New Testament : Its Transmission, Corruption, and Restoration*, 3ᵉ éd., New York/Oxford, Oxford University Press, 1992, p. 207.
[14] Metzger, *Text*, p. 209-10.

la date et le caractère du type de texte représenté par le manuscrit et le degré des soins pris par les copistes du manuscrit. Le manuscrit est-il reconnu pour avoir moins ou plus d'erreurs ?

2. La distribution géographique des témoins – On donne plus de poids à un nombre de manuscrits soutenant une même leçon si les manuscrits viennent de lieux géographiquement éloignés les uns des autres. Mais parfois une dépendance est établie malgré les distances.

3. La relation généalogique des témoins – Une vingtaine de témoins peut avoir copié le même manuscrit et ainsi soutenir la même leçon. Il faut peser la valeur des leçons en fonction des familles de manuscrits auxquelles les manuscrits appartiennent. Il faut peser les témoins au lieu de les compter.

Les indices internes – Y a-t-il une cohérence entre le style, le vocabulaire et le contexte du livre ?

Les probabilités de transcription – annotations, éclaircissements, harmonisations, et erreurs des copistes

1. En général, la leçon la plus difficile est à adopter.
2. En général la leçon la plus brève est à adopter,
    sauf là où l'œil du copiste aurait sauté d'un mot à un autre qui lui ressemble et
    sauf là où le copiste aurait omis des mots superflus, trop sévères ou contraires à la foi ou à la pratique religieuse du copiste.
3. Les copistes aimaient harmoniser leurs textes avec d'autres passages parallèles. Donc, en général, la leçon moins parallèle est à adopter.
4. Les copistes ont parfois remplacé un mot moins connu par un mot plus connu.
5. Les copistes ont parfois remplacé une forme grammaticale ancienne ou moins élégante par une autre plus contemporaine.
6. Les copistes ont parfois ajouté des pronoms, des conjonctions ou des explétifs afin de rendre le texte plus facile à lire.[15]

L'emploi de l'apparat critique de l'UBS

La 3ème éd. de l'UBS ne mentionne aucune leçon variante pour le texte de Luc 3.15-17. Pour donner un exemple, nous avons choisi le passage d'Ac 2.42-47. Deux pages de l'UBS (3ème éd.) sont reproduites à la page suivante pour faciliter les explications sur l'apparat critique. L'apparat critique se trouve en bas de la page sous la ligne qui traverse la page. Il est divisé en trois sections séparées par de courtes lignes.

Les leçons variantes

La première section contient les renseignements sur les leçons variantes du texte. Les problèmes textuels sont numérotés depuis le début de chaque chapitre. Dans le passage reproduit il y a les numéros 10 et 11 pour le chapitre 2 et 1 au début du chapitre 3 parce que les variantes concernent la fin du chapitre 2 et le début du chapitre 3 ensemble. L'apparat donne aussi en gras le numéro du verset où se trouve le problème textuel. Le premier problème textuel se trouve au verset 43. Le numéro du verset est suivi d'une lettre entre accolades {C}. La lettre représente le degré de doute attribué au choix des éditeurs de l'UBS. La lettre « A » signifie que le texte est presque certain. La lettre « B » signifie qu'il y a un peu de doute. La lettre « C » signifie qu'il y a un doute considérable. La lettre « D » signifie qu'il y a un degré très élevé de doute concernant la lecture choisie pour le texte. Ces lettres

---

[15] Bruce M. Metzger, *A Textual Commentary on the Greek New Testament*, New York, United Bible Societies, 1975, p. xxv-xxviii.

peuvent aider l'étudiant à choisir les leçons qu'il faut évaluer dans un travail d'exégèse. Nous voulons examiner les variantes au verset 44, parce que les éditeurs estiment qu'il y a un degré très élevé de doute concernant leur choix.

2. 39–45   ΠΡΑΞΕΙΣ   424

τῷ ὀνόματι Ἰησοῦ Χριστοῦ εἰς ἄφεσιν τῶν ἁμαρτιῶν ὑμῶν καὶ λήμψεσθε τὴν δωρεὰν τοῦ ἁγίου πνεύματος. **39** ὑμῖν γάρ ἐστιν ἡ ἐπαγγελία καὶ τοῖς τέκνοις ὑμῶν καὶ πᾶσιν τοῖς εἰς μακράν, ὅσους ἂν προσκαλέσηται κύριος ὁ θεὸς ἡμῶν. **40** ἑτέροις τε λόγοις πλείοσιν διεμαρτύρατο καὶ παρεκάλει αὐτοὺς λέγων, Σώθητε ἀπὸ τῆς γενεᾶς τῆς σκολιᾶς ταύτης. **41** οἱ μὲν οὖν ἀποδεξάμενοι τὸν λόγον αὐτοῦ ἐβαπτίσθησαν καὶ προσετέθησαν ἐν τῇ ἡμέρᾳ ἐκείνῃ ψυχαὶ ὡσεὶ τρισχίλιαι. **42** ἦσαν δὲ προσκαρτεροῦντες τῇ διδαχῇ τῶν ἀποστόλων καὶ τῇ κοινωνίᾳ,ᶜ τῇ κλάσει τοῦ ἄρτουᶜ καὶ ταῖς προσευχαῖς.

Life among the Believers

43 Ἐγίνετο δὲ πάσῃ ψυχῇ φόβος, πολλά τε τέρατα καὶ σημεῖα διὰ τῶν ἀποστόλων ἐγίνετο[10]. **44** πάντες δὲ οἱ πιστεύοντες ἦσαν ἐπὶ τὸ αὐτὸ καὶ[11] εἶχον ἅπαντα κοινὰ **45** καὶ τὰ κτήματα καὶ τὰς ὑπάρξεις ἐπίπρασκον καὶ

[10] **43** {C} διὰ τῶν ἀποστόλων ἐγίνετο B (D *reads* ἀποστόλων ἐν Ἰερουσαλήμ *in* 2.42) P 049 (81 *add* καί) 330 436 451 614 630 945 1241 1505 1739 1877 2412 (056 0142 2492 *l*⁶⁰˒⁵⁹⁸˒⁶⁸⁰˒¹⁰²¹˒¹³⁵⁶˒¹⁵⁹⁰ ἐγένετο) *Byz Lect* it^(d,gig,p*,r) syr^h cop^sa arm ∥ διὰ τῶν ἀποστόλων ἐγίνετο ἐν Ἰερουσαλήμ 33 syr^p ∥ διὰ τῶν ἀποστόλων ἐγίνετο ἐν Ἰερουσαλὴμ φόβος τε ἦν μέγας ἐπὶ πάντας καὶ p⁷⁴ ℵ (A C 2127 *l*⁶¹¹ ἐγένετο διὰ τῶν ἀποστόλων ἐν) 88 (326 *omit* καί) (2495 ἐγένετο *for* ἐγίνετο *and* δέ *for* τε *and omit* καί) it^ar vg geo ∥ διὰ τῶν ἀποστόλων ἐν Ἰερουσαλὴμ ἐγίνοντο καὶ φόβος ἦν μέγας ἐπὶ πάντας τοὺς ἀνθρώπους 629 ∥ διὰ τῶν χειρῶν τῶν ἀποστόλων ἐγίνετο ἐν Ἰερουσαλὴμ φόβος τε ἦν μέγας ἐπὶ πάντας αὐτούς καὶ Ψ cop^bo ∥ διὰ τῶν χειρῶν τῶν ἀποστόλων ἐγίνετο ἐν Ἰερουσαλήμ (E it^e ἐγίνοντο) 104 (181 *add* καί) (eth ἐγίνετο διὰ τῶν χειρῶν τῶν ἀποστόλων καὶ ἐν)

[11] **44** {D} ἦσαν ἐπὶ τὸ αὐτὸ καί p⁷⁴ ℵ A C D E P Ψ 049 056 0142 33 81 88 104 181 326 330 436 451 614 629 630 945 1241 1505 1739 1877 2127 2412 2492 *Byz* it^(ar,d,e) vg syr^(p,h) cop^(sa,bo) arm geo Basil ∥ ἐπὶ τὸ αὐτὸ καί 2495 ∥ ἐπὶ τὸ αὐτὸ B 234 it^(m,p) Origen Salvian ∥ *omit* it^gig

ᶜ ᶜ **42** c *minor*, c *none*: WH Bov BF² RV ASV RSV Zür Jer Seg ∥ c *minor*, c *minor*: WH^mg NEB ∥ *different text*: TR AV Luth

39 τοῖς εἰς μακράν Is 57.19   ὅσους...κύριος Jl 2.32; Ro 10.13   **40** τῆς γενεᾶς...ταύτης Dt 32.5; Ps 78.8; Php 2.15   **41** Ac 2.47; 4.4; 5.14; 6.7; 11.21, 24; 21.20   **42** τῇ κλάσει τοῦ ἄρτου Ac 2.46; 20.7   **43** Ἐγίνετο...φόβος Ac 5.5, 11; 19.17   πολλά...ἐγίνετο Ac 5.12; 6.8; 14.3; 15.12   **44** Ac 4.32   **45** Ac 4.34–35

Juste après la lettre entre accolades, le texte choisi par l'UBS est répété (ἦσαν ἐπὶ τὸ αὐτὸ καὶ). Une liste d'abréviations de différents manuscrits suit. Pour comprendre les abréviations il faut chercher dans l'introduction. 𝒫⁷⁴ représente un manuscrit écrit sur papyrus datant du septième siècle. ℵ représente un manuscrit écrit en onciales (lettres majuscules) appelé Sinaïticus datant du 4ᵉᵐᵉ siècle et contenant tout le Nouveau Testament. Une liste des onciaux (A, C, D, E, P, Ψ, 049, 056, 0142) est suivie d'une liste de minuscules (manuscrits écrits en lettres minuscules, 33, 81, 88, 104, 181, 326, etc.). *Byz* représente la majorité des textes byzantins. Puis nous avons une liste d'anciennes traductions. it^(ar,d,e) représente plusieurs versions en latin ancien, vg la vulgate, syr^(p,h) des versions syriaques, cop^(sa,bo) des versions coptes, arm la version arménienne et geo la version géorgienne. A la fin de la liste nous avons le père de l'église Basile qui a cité cette variante du texte.

Deux lignes entre parallèles ∥ séparent chaque leçon variante. La minuscule 2495 qui date du quatorzième ou quinzième siècle a les termes ἐπὶ τὸ αὐτὸ καὶ sans le verbe ἦσαν. L'oncial B, la minuscule 234, et les pères Origène et Salvianus laissent tomber aussi le καὶ. Une version en latin ancien du 13ᵉᵐᵉ siècle (it^gig) omet toute la phrase.

Si nous évaluons ces leçons selon les critères établis ci-dessus, les indices externes (nombre, date et variété de témoins) pèsent énormément en faveur du texte plus long adopté par l'UBS, mais les probabilités de transcription favorisent les textes plus brefs contenus dans les variantes. Le texte de Westcott et Hort retient ἐπὶ τὸ αὐτὸ et laisse tomber ἦσαν et καὶ. Le comité de la Société Biblique a préféré le texte plus long. Metzger pense que l'expression ἐπὶ τὸ αὐτο « a pris une signification quasi-technique dans l'Eglise primitive », c'est-à-dire « l'union du corps de Christ ». Il affirme que cette signification est « exigée » dans les textes d'Ac 1.15 ; 2.1, 47 ; 1 Cor 11.20 et 14.23. Selon lui, les scribes ont probablement essayé de modifier le texte, parce qu'ils ne comprenaient pas cette signification technique.[16]

La ponctuation

La deuxième section dans l'apparat critique donne les différentes possibilités de ponctuation. En général, les manuscrits n'ont pas de signe de ponctuation et l'exégète doit les fournir. Un désaccord entre les différents textes est signalé au verset 42. Westcott et Hort, Bover, la 2ème édition du texte grec de Nestle, la Revised Version, l'American Standard Version, la Revised Standard Version, Die Heilige Schrift, Le Nouveau Testament de l'Ecole Biblique de Jérusalem et la version Louis Second ont la même ponctuation que l'UBS. Après les deux lignes parallèles // nous voyons deux textes qui ont choisi de mettre une autre virgule après le terme ἄρτου, une note dans la marge dans une traduction de Westcott et Hort et la New English Bible. Le Textus Receptus, la King James Version et Das Neue Testament de Martin Luther ont un texte différent.

Les parallèles

La dernière section dans l'apparat critique donne des textes parallèles : citations, allusions ou autres.

L'emploi de l'apparat critique de Nestle-Aland

L'apparat critique de Nestle-Aland contient beaucoup plus de leçons variantes que celui de l'UBS. Les textes parallèles sont donnés dans les marges extérieures. Pour comprendre les signes critiques, il faut consulter l'introduction. L'introduction en anglais de NA se trouve après l'introduction en allemand. Les signes les plus importants se trouvent aussi sur un petit dépliant. La page de NA contenant le texte de Lc 3.15-23 est reproduite à la page suivante pour faciliter les explications sur l'apparat critique.

Le premier signe critique dans le texte est le petit carré □ suivi d'un petit trait \ au verset 15 indiquant des mots supprimés dans des leçons variantes (περὶ τοῦ Ἰωάννου). Le numéro 15 pour le verset et le petit carré sont reproduits dans l'apparat critique en bas de page. Le petit carré est suivi du chiffre 131 et de syᶜ indiquant que les mots entre les deux symboles ne se trouvent pas dans un manuscrit minuscule du XIV siècle (131) et la version Syriaque appelée Syrus Curetonianus. Le point gras suivi du numéro 16 dans l'appareil critique commence une nouvelle section donnant des leçons variantes pour le verset 16. Les mots suivant le petit signe critique ʽ dans l'apparat (επιγνους τα διανοηματα αυτων ειπεν) remplacent les mots au verset 16 depuis le début du verset jusqu'au signe critique ʽ (ἀπεκρίνατο λέγων πᾶσιν ὁ Ἰωάννης) dans le codex Bezae (Vème siècle). Une ligne verticale grasse | indique que l'appareil introduit une autre série de leçons variantes dans le même verset. Le petit τ majuscule dans l'apparat critique correspond au même signe dans le texte. Ce signe indique que les leçons variantes ajoutent les mots donnés dans l'apparat (εις μετανοιαν) au texte à cet endroit. L'abréviation p) suivant le petit τ majuscule indique que ces variantes sont influencées par les passages parallèles qui sont notés dans la marge au début de l'épisode (Mt 3.1). Cet ajout peut, donc, venir d'une harmonisation. Le copiste a probablement tiré cet expression de

---

[16] Ibid., p. 303, 305.

3,15–23   ΚΑΤΑ ΛΟΥΚΑΝ   190

15-18: Mt 3,11s Mc 1,7s J 1,25-28

Act 13,25 J 1,8.20! |

Act 1,5! · 7,19! J 1,15!

Mc 9,43!

9,6!

23-38: Mt 14,13s Mc 6,17s · 1!

21s: Mt 3,13-17 Mc 1,9-11

5,16! · Ez 1,1 Act 10,11 J 1,51 Ap 4,1; 19,11 | 4,1! J 1,32 Is 11,2 9,35p

Ps 2,7 · 20,13 Gn 22,2 Is 42,1 · 2,14!

23-38: Mt 1,1-16 · Act 1.1! · Gn 41,46 2Sm 5,4 Ez 1,1

15 Προσδοκῶντος δὲ τοῦ λαοῦ καὶ διαλογιζομένων πάντων ἐν ταῖς καρδίαις αὐτῶν °περὶ τοῦ Ἰωάννου`, μήποτε αὐτὸς εἴη ὁ χριστός, **16** ἀπεκρίνατο λέγων πᾶσιν ὁ Ἰωάννης· * ἐγὼ μὲν ὕδατι βαπτίζω ὑμᾶς⌐· ⌐ἔρχεται δὲ ὁ ἰσχυρότερός μου`, οὗ οὐκ εἰμὶ ἱκανὸς λῦσαι τὸν ἱμάντα τῶν ὑποδημάτων αὐτοῦ· αὐτὸς ὑμᾶς βαπτίσει ἐν πνεύματι °ἁγίῳ καὶ πυρί· **17** οὗ τὸ πτύον ἐν τῇ χειρὶ αὐτοῦ ⌐διακαθᾶραι τὴν ἅλωνα αὐτοῦ καὶ ⌐συναγαγεῖν τὸν ⌐ σῖτον εἰς τὴν ἀποθήκην °αὐτοῦ, τὸ δὲ ἄχυρον κατακαύσει πυρὶ ἀσβέστῳ.

18 Πολλὰ μὲν οὖν καὶ ἕτερα ⌐παρακαλῶν εὐηγγελίζετο τὸν λαόν. **19** Ὁ δὲ Ἡρῴδης ὁ τετραάρχης, ἐλεγχόμενος ὑπ᾽ αὐτοῦ περὶ Ἡρῳδιάδος τῆς γυναικὸς ⌐ τοῦ ἀδελφοῦ αὐτοῦ καὶ περὶ πάντων ὧν ἐποίησεν πονηρῶν ὁ Ἡρῴδης, **20** προσέθηκεν καὶ τοῦτο ἐπὶ πᾶσιν °[καὶ] κατέκλεισεν τὸν Ἰωάννην ἐν φυλακῇ.

21 Ἐγένετο δὲ ἐν τῷ βαπτισθῆναι ἅπαντα τὸν λαὸν καὶ Ἰησοῦ βαπτισθέντος καὶ προσευχομένου ἀνεῳχθῆναι τὸν οὐρανὸν **22** καὶ καταβῆναι τὸ πνεῦμα τὸ ἅγιον σωματικῷ εἴδει ⌐ὡς περιστερὰν ⌐ἐπ᾽ αὐτόν, καὶ φωνὴν ἐξ οὐρανοῦ γενέσθαι· ⌐σὺ εἶ ὁ υἱός μου ὁ ἀγαπητός, ἐν σοὶ εὐδόκησα`.

23 ⌐Καὶ αὐτὸς ἦν Ἰησοῦς ⌐ἀρχόμενος ὡσεὶ ἐτῶν τρι-

10
I

11
V

12
II

13
I

14
III

15 °131 sy^c • **16** ⌐επιγνους τα διανοηματα αυτων ειπεν D | ⌐p) εις μετανοιαν C D 892. 1424 it vg^mss sy^h | ⌐p) ο δε ερχομενος ισχυροτερος μου εστιν D l | °64; Tert • **17** ⌐p) και διακαθαριει ℵ¹ A C D K L N W Γ Δ Θ Ξ Ψ f¹·¹³ 33. 565. 579. 700. 892. 1241. 1424. 2542. l 844 𝔐 lat sa^ms bo^pt ¦ txt 𝔓⁴ᵛⁱᵈ ℵ* B (a) e sa^mss bo^pt; Ir^lat | ⌐συναξει ℵ² A C (D) K L N W Γ Δ Θ Ξ Ψ f¹·¹³ 33. 565. 579. 700. 892. 1241. 1424. 2542. l 844 𝔐 lat sa^ms bo^pt; Ir^lat ¦ txt 𝔓⁴ᵛⁱᵈ ℵ* (συναξαι ℵ¹) B e sa^mss bo^pt | ⌐μεν D Θ f¹³ | °ℵ²ᵃ D e bo^pt; Ir^lat • **18** ⌐παραινων D • **19** ⌐p) Φιλιππου A C K W Ψ 33. 565. 579. 1424. 2542 sy^p.h sa^mss bo • **20** °𝔓⁷⁵ ℵ* B D Ξ b e ¦ txt ℵ² A C K L N W Γ Δ Θ Ψ 070 f¹·¹³ 33. 565. 579. 700. 892. 1241. 1424. 2542 𝔐 lat sy • **22** ⌐ωσει A K N Γ Δ Θ Ψ f¹·¹³ 565. 700. 892. 1424. 2542. l 2211 𝔐 ¦ txt 𝔓⁴ ℵ B D L W 070. 33. 579. 1241 | ⌐εις D | ⌐(Ps 2,7) υιος μου ει συ, εγω σημερον γεγεννηκα σε D it; Ju (Cl) Meth Hil Aug • **23–31** ⌐(Mt 1,6-16 *ord. invers.*) ην δε Ιησους ως ετων λ᾽ αρχομενος ως ενομιζετο ειναι υιος Ιωσηφ του Ιακωβ του Ματθαν του Ελεαζαρ του Ελιουδ του Ιαχιν του Σαδωκ του Αζωρ του Ελιακιμ του Αβιουδ του Ζοροβαβελ του Σαλαθιηλ του Ιεχονιου του Ιωακιμ του Ελιακιμ του Ιωσια του Αμως του Μανασση του Εζεκια του Αχας του Ιωαθαν του Οζια του Αμασιου του Ιωας του Οχοζιου του Ιωραμ του Ιωσαφαδ του Ασαφ του Αβιουδ του Ροβοαμ του Σολομων του Δαυιδ D | ⌐ερχομενος 700

Matthieu pour la placer ici afin d'harmoniser les deux textes. Une autre lecture dans le Codex Bezae donnée dans l'apparat critique remplace celle qui se trouve entre les signes ˊ et ˋ dans le texte. Le petit point à l'intérieur de ces signes indique qu'il s'agit d'une deuxième série de mots remplacée dans le même verset. Le *p)* indique encore que cette variante peut venir d'une harmonisation. Le copiste à l'origine du Codex Bezae et du Codex 1 a probablement remplacé le texte de Luc (ἔρχεται δὲ ὁ ἰσχυρότερός μου) par le texte de Matthieu (ὁ δὲ ... μου ἐρχόμενος ἰσχυρότερός μού ἐστιν). Le petit cercle ∘ devant le mot ἁγίῳ indique que ce mot est supprimé dans les deux leçons listées dans l'apparat (minuscule tardif 64 et un texte de Tertullien écrit vers 220). Cette lecture n'est certainement pas originale, mais elle révèle probablement une

compréhension du texte assez tôt dans la littérature de l'Eglise, que le baptême d'Esprit et de feu de Jésus était un baptême de jugement. Les leçons variantes pour les versets 15 et 16 ne sont pas bien soutenues. Elles apparaissent dans peu de manuscrits qui sont en général très tardifs. Ainsi, les éditeurs ne ressentent pas le besoin de dresser une liste de manuscrits qui soutiendraient leur choix dans le texte.

Deux leçons variantes pour le verset 17 sont assez bien soutenues dans les manuscrits. Beaucoup de manuscrits remplacent l'infinitif aoriste διαχαθᾶραι par la conjonction χαὶ et le futur διαχαθαριεῖ, et l'infinitif συναγαγεῖν par le futur συνάξει. Dans les deux cas, les éditeurs donnent aussi une liste de manuscrits soutenant leur choix de l'infinitif dans le texte. La liste de ces manuscrits se trouve après la ligne verticale coupée ¦ et l'abréviation *txt*. L'apparat critique signale aussi quelques manuscrits qui insèrent (τ) le terme μεν avant le mot σῖτον, et omettent (ₒ) αὐτοῦ après le mot ἀποθήκην.

En principe, nous pensons qu'il vaut mieux accepter les choix des éditeurs et adopter le texte des versions critiques de NA et de l'UBS. La plupart des étudiants n'ont pas assez d'expérience dans la matière pour bien peser le poids des arguments dans la critique textuelle. Il y a quelques exceptions à cette règle.

1. Si les éditeurs eux-mêmes ont des doutes sur un choix, il faut revoir leur décision. Ce doute est clairement indiqué par les lettres C et D entre accolades dans l'UBS. La liste des manuscrits soutenant le texte choisi (après *txt*) dans NA28 peut aussi indiquer une mesure de doute.
2. Si un auteur bien expérimenté dans la critique textuelle suggère l'adoption d'une autre leçon, il faut évaluer ses arguments et revoir le choix des éditeurs.
3. Si vous soupçonnez un préjugé théologique motivant le choix des éditeurs, il faut revoir leur travail et voir si d'autres exégètes ont discerné le même préjugé.

Des suggestions pour l'utilisation de la critique textuelle dans l'exégèse

1. Comparer les différents textes en grec afin de voir les désaccords. (NA28 BYZ SCR WHT) Lorsque nous avons comparé les versions de NA28, Scrivener, Westcott et Hort et une version Byzantine pour le texte de Lc 3.15-17, nous avons constaté une différence dans l'épellation du nom de Jean aux versets 15-16 et les variantes pour les deux infinitifs au verset 17. Au verset 15, NA28, BYZ et SCR ont Ἰωάννου avec deux ν et WHT a un seul ν (Ἰωάνου). On peut signaler d'autres petites variations, l'ordre des mots, l'autographe du nom de Jean, etc., au verset 16. Au verset 17, NA28 et WHT ont les deux infinitifs signalés ci-dessus et BYZ et SCR ont les verbes au futur signalés dans l'apparat critique de NA. Toutes ces variations mineures exercent peu d'influence sur la traduction. C'est pourquoi nous ne les trouvons pas dans l'apparat critique de l'UBS.
2. Examiner l'apparat critique pour les leçons dont l'évaluation de l'UBS attribue un doute considérable au choix adopté ({C} et {D}).
3. Lire le commentaire de Bruce M. Metzger sur les choix du comité de l'UBS, *A Textual Commentary on the Greek New Testament*.
4. Lire les arguments sur les problèmes textuels de votre passage, donnés par deux ou trois commentaires bibliques.
5. Comparer et évaluer les arguments sur le choix des leçons afin de choisir le texte que vous adopterez pour vos analyses.

Conseils pour la rédaction d'une dissertation exégétique

Souvent les étudiants qui rédigent une dissertation exégétique passent trop de temps à la rédaction de la section consacrée à la critique textuelle. Ceci se comprend parce que la tâche est ardue. A notre avis, il faut essayer de limiter la discussion sur les variantes textuelles aux cas débattus par les exégètes. Souvent l'étudiant consacre trop de pages à donner des arguments sur des variantes qui ne sont pas débattues ou qui ne contribuent en rien à leur projet d'exégèse. Il faut aborder les questions de critique textuelle pertinentes pour votre projet d'exégèse et expliquer pourquoi vous abordez ces questions. Il faut expliquer pourquoi certaines variantes sont pertinentes pour répondre à vos questions exégétiques et pourquoi d'autres ne le sont pas.

Etant donné qu'une bonne critique textuelle des textes du Nouveau Testament exige une grande connaissance de milliers de manuscrits, et que l'exégète débutant n'a pas cette connaissance, les explications concernant les variantes débattues doivent venir surtout de la littérature que vous consultez. Le commentaire de Metzger est une bonne source pour ce genre d'explications. On peut aussi consulter les commentaires exégétiques. Votre tâche n'est pas de choisir vous-même tout seul entre les variantes du texte celle qui est la plus sûre. Les débutants qui essaient de le faire vont surtout adopter le texte qui convient à leur compréhension a priori. Le plus souvent, ils auront tort. Votre tâche est d'évaluer les arguments donnés par les commentaires. Il faut vérifier l'exactitude de leurs arguments en examinant les variantes et les principes de la critique textuelle qu'ils utilisent pour tirer une conclusion. Ensuite, il faut comparer les arguments des différents avis et adopter la position la plus cohérente selon votre évaluation de leurs arguments.

Si vous ne trouvez aucune variante débattue dans votre texte, ni par Metzger, ni dans les commentaires exégétiques que vous avez consultés, il faut demander à votre directeur de thèse ce qu'il faut faire. En général le directeur de thèse voudra vérifier que l'étudiant comprend le processus, et demandera à l'étudiant d'achever un travail sur les variantes moins débattues. Souvent, la mention des variantes dans les notes en bas de votre traduction, accompagnée d'une brève explication de votre choix est suffisante.

Exercices :

5.1.1 Lisez le commentaire de Metzger pour Ac 1.4-8 (p. 241-44) et notez les variantes débattues. Lesquelles sont importantes pour l'exégèse de la proposition « vous serez baptisés du Saint-Esprit » ?

5.18.1 Lisez le commentaire de Metzger pour Ac 18.25-28 (p. 466-68) et notez les variantes débattues. Lesquelles sont importantes pour la description de la vie et du ministère d'Apollos ?

5.18.2 Nous n'avons pas traité le problème des leçons variantes dans *Bouleversé par l'Esprit*. Nous avons seulement mentionné une variante dans laquelle une requête pour l'effusion du Saint-Esprit est ajoutée à la prière du Seigneur (Lc 11.2, p. 144). Nous l'avons mentionnée non pas pour corriger le texte mais pour signaler l'importance de Lc 11.13 à la période des copistes. On peut lire notre commentaire sur le texte de Luc-Actes dans notre thèse pour le doctorat en théologie, *L'Esprit dans le récit de Luc : Une recherche de cohérence dans la pneumatologie de l'auteur de Luc-Actes,* Thèse présentée à la Faculté Libre de Théologie Évangélique, Vaux-sur-Seine, Février 2007, p. 43-47.

Chapitre 6

La structure du texte
(Analyse des liens entre termes)

La syntaxe

Un texte est compréhensible parce qu'il est structuré selon une logique que l'on peut analyser. Notre communication, orale ou écrite, suit des règles grammaticales et syntaxiques. Les mots sont assemblés dans des propositions, des phrases et des paragraphes selon une logique communément établie dans la langue de communication. Les mots sont liés les uns aux autres par des liens logiques. La description des rapports entre les termes d'une phrase est appelée la syntaxe. Une connaissance des règles grammaticales et syntaxiques est une nécessité préalable à une bonne exégèse. L'étudiant n'est pas obligé de maîtriser toutes ces règles, mais il doit savoir quand et comment utiliser les outils de travail contenant ces règles. Beaucoup de bonnes ressources de la syntaxe grecque existent en anglais.[17] Les étudiants ayant une bonne connaissance de l'anglais peuvent se servir de ces ressources. En français, nous recommandons surtout l'ouvrage de Daniel B. Wallace, traduit de l'anglais en 2015.[18] La version en anglais est disponible sur le site d'Internet archive.[19] En français, on peut aussi lire la section sur la syntaxe dans les ouvrages de J. W. Wenham et Maurice Carrez.[20] L'ouvrage de Pierre Létourneau contient des explications syntaxiques dans les sections intitulées « Grammaire avancée ».[21]

Nous recommandons trois types d'exercices pour analyser la structure d'un texte. Le premier est la construction d'un *diagramme* pour visualiser les liens entre les différents termes d'une phrase. Nous allons nous servir d'un diagramme de Randy Leedy, tiré du logiciel BibleWorks 10, pour illustrer l'utilité de ce travail.[22] Pour en profiter il faut examiner soigneusement les diagrammes afin de comprendre la visualisation de tous les liens syntaxiques. Le deuxième exercice est une *analyse détaillée* du texte dans laquelle l'étudiant examine la forme de chaque terme, les liens entre les termes et la fonction de chaque terme dans une phrase grecque. Par fonction, nous comprenons

---

[17] Voici quelques grammaires utiles en anglais : James A. Brooks et Carlton L. Winbery, *Syntax of New Testament Greek*, Lanham/New York/Londres, University Press of America, 1979 ; Ernest De Witt Burton, *Syntax of the Moods and Tenses in New Testament Greek*, 3e éd., Edimbourg, T & T Clark, 1976 ; H. E. Dana et Julius R. Mantey, *A Manual Grammar of the Greek New Testament*, Toronto, Macmillan, 1957 ; A.T. Robertson, *A Grammar of the Greek New Testament in the Light of Historical Research*, Broadman Press, Nashville, 1934. Daniel B. Wallace, *Greek Grammar Beyond the Basics*, Grand Rapids, Zondervan, 1996.

[18] *Grammaire grecque : Manuel de syntaxe pour l'exégèse du Nouveau Testament*, Charols, Excelsis, 2015.

[19] https://archive.org/details/greekgrammarbeyo0000wall/

[20] J. W. Wenham, « Résumé de grammaire : Syntaxe », *Initiation au Grec du Nouveau Testament*, 3ème éd., Paris, Beauchesne, p. 249-253, Maurice Carrez, « La syntaxe », *Grammaire grecque du Nouveau Testament*, 6ème éd., Genève, Labor et Fidès, p. 117-52.

[21] *Initiation au grec du Nouveau Testament : De l'alphabet aux phrases complexes*, Montréal, Médiaspaul, 2010, p. 41-44, 51-59, 69-74, 83-91, 101-8, 129-32, 141-47, 159-63, 180-82, 194-200, 210-11, 224-25, 235-37, 249-50, 259-61, 272-78.

[22] Les diagrammes du Nouveau Testament sont disponibles à https://www.ntgreekguy.com/.

une description précise du lien syntaxique entre termes. Le diagramme visualise les liens syntaxiques dans une phrase. Il montre comment tous les mots d'une phrase sont reliés à tous les autres mots de la même phrase. Dans l'analyse détaillée, ces liens sont décrits en paroles précisant la fonction de chaque mot dans la phrase. L'identification de la forme de chaque mot aide à discerner cette fonction. Le troisième exercice consiste à discerner autant que possible l'*articulation logique* des propositions d'un texte.

L'étudiant doit choisir le ou les exercices appropriés au travail d'exégèse envisagé. Le diagramme et l'analyse détaillée sont des travaux méticuleux qui prennent beaucoup de temps. Ils sont employés pour discerner la syntaxe ou la structure de quelques propositions ou phrases considérées comme très importantes pour la compréhension d'un passage. L'examen de l'articulation logique d'un passage aide à placer les propositions importantes dans le contexte plus large. En principe, une description de l'articulation logique décrit le fil de la pensée de l'auteur et donne le contexte pour comprendre les propositions dans le passage.

Le diagramme

Le diagramme aide à visualiser les relations entre les différents termes d'une phrase. Si l'étudiant peut se familiariser avec l'orientation symbolique des diagrammes, il peut rapidement discerner la structure syntaxique d'une phrase. La structure essentielle d'un diagramme est donnée dans la figure 1. On commence avec le noyau d'une phrase qui s'écrit sur une seule ligne, composé du sujet, du verbe et du complément objet direct (C.O.D.). Le sujet est séparé du verbe principal par une ligne verticale qui traverse la ligne horizontale du noyau. Le verbe est séparé du C.O.D. par une ligne verticale plus courte qui s'arrête à la ligne horizontale. Les compléments qui modifient ou précisent le sens se placent sous les termes dont ils précisent le sens. Dans la figure 1, L'identité du professeur est précisée par l'adjectif « mauvais ». L'action du verbe est précisée par l'adverbe « toujours » et par le complément d'attribution (ou complément d'objet indirect) « aux étudiants » qui précise à qui ou pour qui l'action du verbe se fait. Ce complément d'attribution est précisé par l'adjectif « meilleurs ». Le C.O.D. est précisé par le complément du nom « du texte ».

Figure 2 : Le diagramme (la structure essentielle d'une phrase)

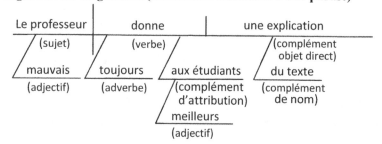

Le grec ne s'écrit pas dans le même ordre de mots que le français. En français, la fonction d'un mot est déterminée en partie par sa position dans la phrase. En grec, la fonction est signalée par la forme morphologique du terme. Le sujet de la phrase est au nominatif. Le C.O.D. est, à quelques exceptions près, à l'accusatif. En mettant les éléments de la phrase grecque dans l'ordre habituel d'une phrase en français (sujet-verbe-C.O.D.), nous évitons d'attribuer une fonction à un terme selon sa position dans la phrase. Les autres lignes du diagramme aident à visualiser les liens syntaxiques entre les termes du noyau de la phrase et les compléments qui précisent le sens de ces termes. Un complément qui précise le sens d'un terme dans le noyau de la phrase s'écrit sur une autre ligne attachée à la première par une ligne en biais montrant le terme dont le sens est précisé. Par exemple, le sens du verbe « donne » dans la figure 1 est précisé par deux compléments, par l'adverbe « toujours » qui précise quand le professeur donne et par le complément d'attribution « aux étudiants » qui précise à qui il donne. La figure 1 présente le diagramme pour la phrase : « Le mauvais professeur donne toujours une explication du texte aux meilleurs étudiants ».

Dans les phrases de la figure 2, il n'y a pas de complément d'objet direct. Le verbe d'état « être » est suivi d'un attribut du sujet. Un attribut du sujet se place après un verbe d'état après une ligne qui penche vers le verbe et son sujet. On peut dire que la ligne penche vers le sujet parce que l'attribut du sujet (un adjectif ou un nom) décrit le sujet.

Figure 3 : Le diagramme des phrases d'état

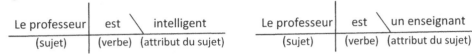

Le problème d'exégèse que nous examinons dans ce manuel est le sens de l'expression « baptisés d'Esprit Saint et de feu dans Luc 3.16. Cette expression se trouve dans une longue phrase en grec qui commence au verset 15 et se termine au verset 17. Ainsi, nous reproduisons le diagramme de Randy Leedy pour Luc 3.15-17 afin de visualiser la syntaxe de toute la phrase. Ce diagramme montre que l'expression « il vous baptisera d'Esprit Saint et de feu » se trouve dans une phrase très longue et complexe. Elle est composée de 14 propositions (sujet + verbe) reliées les unes aux autres. La proposition principale, *Jean répondit* (ἀπεκρίνατο ... ὁ Ἰωάννης) qui se trouve au début du verset 16 est placée au début du diagramme parce que tout le reste, des versets 15 à 17, précise quelque chose sur la réponse de Jean. Donc, les autres propositions se trouvent sous le verbe ἀπεκρίνατο (*il répondit*) dans le diagramme.

Pour comprendre le diagramme de Luc 3.15-17 (figure 6), il faut expliquer quelques lignes symboliques. Pour faire ceci, nous allons examiner plusieurs petites sections de ce diagramme (Figures 3 à 5). Si l'espace en dessous d'un terme est trop petit pour écrire tous les mots qui précisent le sens de ce terme, Leedy emploi une ligne pointillée pour relier le ou les compléments au terme qui est ainsi précisé. Une ligne pointillée (encerclée dans la figure 3) relie deux propositions aux verset 15 (encadrées) au verbe ἀπεκρίνατο (*il répondit*, encadré) dans la proposition principale au verset 16. Ces deux propositions, Προσδοκῶντος ... τοῦ λαοῦ (*le peuple attendait*) et (διαλογιζομένων πάντων (*tous se demandaient...*), décrivent les circonstances dans lesquelles *Jean répondit*.

Figure 4 Le connecteur pointillé lié au verbe ἀπεκρίνατο

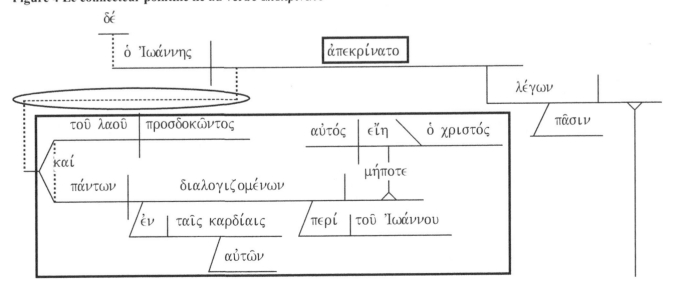

26   *Manuel d'exégèse du* **Nouveau Testament**

On peut aussi constater que la proposition λέγων πᾶσιν (*disant à tous*), composée d'un participe, d'un C.O.D. et d'un complément d'attribution est reliée au verbe ἀπεκρίνατο (*il répondit*). On ne voit pas le C.O.D. dans cette section du diagramme. On voit seulement l'espace dans lequel il devrait être et une ligne qui descend de cet espace.

Une autre ligne pointillée (encerclée dans la figure 4) relie la proposition relative (encadrée) au *plus fort* (ὁ ἰσχυρότερός, encadré). Remarquez le pronom relatif οὗ (*dont*, encadré) au début de la proposition qui suit directement ὁ ἰσχυρότερός dans le texte. Cette proposition précise que Jean n'est pas digne de servir cet individu qui est plus fort que lui.

Figure 5 Les connecteurs pointillés liés aux propositions relatives dans Ac 3.16-17

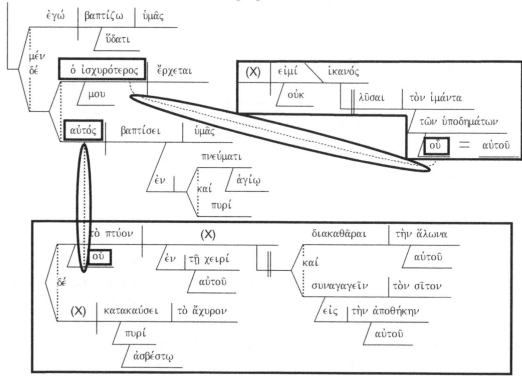

Une troisième ligne pointillée relie la proposition relative du verset 17 (οὗ ... ἀσβέστῳ, encadrée dans la figure 4) à celui (αὐτὸς, encadré) qui *baptisera d'Esprit Saint et de feu*. Remarquez le pronom relatif οὗ (*dont*, encadré) au début de cette proposition relative. La proposition précise que celui qui *baptisera d'Esprit Saint et de feu* a une pelle à vanner à la main avec laquelle il effectuera le jugement eschatologique.

Lorsque l'espace d'un complément objet direct n'est pas assez grand pour contenir le complément, Leedy emploie une ligne avec une base à deux pieds (encerclée dans la figure 5) pour indiquer que les termes ou les propositions de ce complément (encadrés) sont le C.O.D. Ainsi, ce que tous se demandaient, c'est à dire *si il* (Jean) *n'était pas le Christ* (μήποτε αὐτὸς εἴη ὁ χριστός), est le C.O.D. de cette proposition (*tous se demandaient*, verset 15).

Figure 6 : Le C.O.D. que *tous se demandaient*

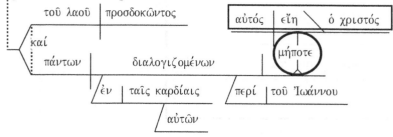

Figure 7 : Le diagramme de Luc 3.15-17

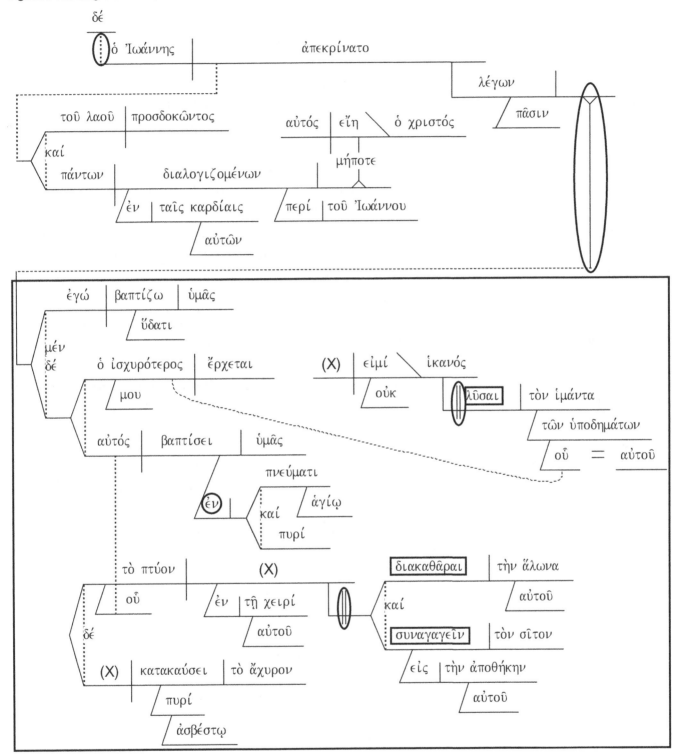

Une autre ligne avec une base à deux pieds (encerclée en haut dans la figure 6), qui part vers le bas, continue à gauche en pointillés et se connecte avec le reste du passage, signale que tout le reste des versets 16 et 17 (encadré dans la figure 6) est le C.O.D. du participe λέγων (*en disant*). C'est ce que Jean a dit pour répondre à la question que tous se posaient. Les deux lignes verticales en parallèle (encerclées 2 fois dans cette figure) indiquent qu'un infinitif (encadré) suivra. La ligne pointillée encerclée au début de la figure 6, qui part en haut vers la conjonction δὲ (*et*), indique que cette phrase est reliée à la phrase précédente par cette conjonction.

      L'avantage du diagramme est que l'on peut visualiser rapidement tous les liens entre les termes d'une phrase. On peut voir comment chaque terme est relié à tous les autres termes. Ainsi, nous pouvons décrire comment différents termes et propositions dans la phrase sont reliés à l'expression que nous voulons interpréter, *il vous baptisera d'Esprit Saint et de feu.* Quatre liens me semblent importants pour notre travail. Le premier est assez facile à discerner à partir des versions en français. En employant les particules μὲν ... δε (*d'une part...mais d'autre part*), Jean souligne la différence ou le contraste entre son baptême d'eau et le baptême de Jésus, et non pas la ressemblance. On peut discerner le deuxième à partir du contexte, mais le diagramme le rend plus clair. L'expression *il vous baptisera d'Esprit Saint et de feu* fait partie de la réponse donnée *à tous* concernant l'identité du Christ. Donc, il s'agit d'une activité que le Messie accomplira qui concerne tous les interlocuteurs de Jean. Tous seront baptisés du baptême de Jésus. Il faut examiner la syntaxe grecque pour comprendre le troisième et le quatrième lien important. Dans la traduction en français de l'expression que nous essayons d'interpréter, la préposition « de » est répétée devant les deux éléments, Esprit et feu. En grec la préposition ἐν (Lc 3.16, encerclée dans la figure 6) n'est pas répétée. Elle régit les deux éléments, indiquant qu'il s'agit d'un seul baptême avec ou dans Esprit et feu.[23] Le dernier lien à signaler est peut-être le plus important pour l'interprétation de cette expression énigmatique de Jean-Baptiste. Les versions en français divisent cette phrase grecque (Lc 3.15-17) en plusieurs phrases et obscurcissent le lien clair en grec entre les versets 16 et 17. Jean précise que celui qui *baptisera d'Esprit Saint et de feu* a une pelle à vanner dans sa main pour nettoyer son aire et ramasser le blé dans son grenier mais il brûlera la paille dans un feu qui ne s'éteint pas. C'est-à-dire celui qui effectuera le jugement eschatologique baptisera d'Esprit Saint et de feu.

Exercices :

6. 1.1 Examinez le diagramme d'Ac 1.4-5 dans l'annexe et lisez l'explication sur la modification du diagramme pour la conjonction καὶ (Ac 1.4). Remarquez la fonction adverbiale du verset 5, qui précise quelque chose sur l'action des deux infinitifs, χωρίζεσθαι et περιμένειν (Ac 1.4) et la conjonction au début du verset 5 qui le relie au verset 4. Cette conjonction signale quel lien logique entre les deux versets ? Comparez la traduction de la Nouvelle Edition de Genève avec celle de la TOB. Marguerat pense que ὅτι (1.5) « a valeur explicative et non causale ».[24] Le diagramme de Leedy visualise quelle valeur ?

6.1.2 Examinez le diagramme d'Ac 1.7-8 et remarquez le lien entre la première proposition, λήμψεσθε δύναμιν (*vous recevrez une puissance*), et la deuxième, ἐπελθόντος τοῦ ἁγίου πνεύματος ἐφ᾽ ὑμᾶς (*le Saint-Esprit survenant sur vous*). La deuxième proposition se trouve dans une position adverbiale dans le diagramme. Il précise quelque chose sur l'action du verbe λήμψεσθε (*vous recevrez*). Comparez la traduction de la Bible annotée avec celle de la Bible de Jérusalem. Laquelle traduit la deuxième proposition avec une force adverbiale ?

6.18.1 Examinez le diagramme d'Ac 18.24-26 et remarquez le verbe dont l'action est précisée par le participe ζέων (Ac 18.25).

6.18.2 Examiner le diagramme d'Ac 19.1-2 et remarquez le verbe dont l'action est précisée par le participe πιστεύσαντες (Ac 19.2).

---

[23] James D. G. DUNN, *Baptism in the Holy Spirit : A Re-examination of the New Testament Teaching on the Gift of the Spirit in Relation to Pentecostalism Today,* Studies in Biblical Theology, 2ème Série 15, Alec R. Allenson Inc., Naperville, 1970, p. 11.
[24] Daniel Marguerat, *Les Actes des apôtres (1-12),* 2ème éd. revue et corrigée, Genève, Labor et Fides, 2015, p. 40.

Chapitre 7

La structure du texte
(Analyse de la fonction des termes)

L'analyse détaillée

Le deuxième exercice pour analyser la structure d'un texte est une analyse détaillée. Nous ferons une analyse détaillée du texte de Luc 3.15-17 pour servir d'exemple. Dans une analyse détaillée, nous voulons signaler la *forme*, les *liens* avec d'autres mots ou phrases dans le texte et la *fonction* de chaque terme dans la **phrase**. Nous présenterons ces analyses dans un tableau à trois colonnes. La première colonne contiendra le terme à analyser. Nous préciserons la forme morphologique dans la deuxième colonne. La troisième colonne est réservée à une description des liens syntaxiques et de la fonction grammaticale du terme.

L'analyse de la forme morphologique et des liens syntaxiques sont les bases nécessaires pour déterminer la fonction d'un terme dans la phrase. Les noms et groupes nominaux ont des fonctions très différentes des verbes et groupes verbaux, et ils seront analysés différemment. Les noms, les adjectifs, les pronoms, les articles et les participes sont déclinables. Ils sont divisés en cinq cas distincts (nominatif, vocatif, génitif, datif et accusatif). « Les cas jouent un rôle très important pour déterminer les rapports des mots entre eux » (Wallace, p. 35). La forme d'un verbe indique la personne, le nombre, la voix, le mode et le temps communiqués par ce verbe. D'autres mots connecteurs (prépositions, conjonctions, particules, etc.) sont aussi importants pour comprendre les liens entre les mots d'une phrase.

Dans les cours d'initiation au grec du Nouveau Testament, l'apprentissage des formes morphologiques est accentué. L'étudiant qui a bien maîtrisé ces formes peut se servir de cette connaissance dans le travail d'exégèse. Mais l'étudiant qui a oublié ces formes ne doit pas se décourager. Dans l'exégèse, ce sont les rapports entre mots qui sont accentués. On peut se servir d'un logiciel pour trouver l'analyse morphologique de chaque terme.

Pour déterminer les *liens* entre termes, on peut se servir du diagramme de Leedy (p. 29).[25] Les lignes du diagramme signalent les termes qui sont reliés. Par exemple, les participes προσδοκῶντος et διαλογιζομένων (Lc 3.15) sont reliés au verbe principal ἀπεκρίνατο (Lc 3.16) par une ligne pointillée. La direction de la ligne, partant du bas du verbe principal montre que les participes sont subordonnés au verbe principal et précise quelque chose sur l'action de ce verbe. La ligne solide partant du bas du verbe βαπτίζω (Lc 3.16) montre que le complément ὕδατι au datif est subordonné à βαπτίζω et précise le sens de ce verbe.

Si nous n'avons pas accès aux diagrammes de Leedy, nous devons nous-mêmes discerner ces liens entre les termes dans la phrase. La position des compléments dans la proposition peut nous aider. Souvent le complément

---

[25] Les diagrammes de Leedy pour Ac 1.4-8 et 18.24-26 se trouvent dans les annexes de ce livre pour aider l'étudiant à accomplir son devoir de validation du cours d'exégèse..

d'un nom se trouve juste à côté du nom dont il précise le sens. Par exemple, le complément ὕδατι se trouve juste avant le verbe βαπτίζω (Lc 3.16). L'adjectif ἁγίῳ (Lc 3.16) se trouve juste après le nom πνεύματι. L'analyse du terme peut aussi nous aider. Comme l'adjectif s'accorde avec le nom dont il précise le sens, on constate que les termes πνεύματι et ἁγίῳ sont, tous les deux, au datif neutre singulier. Pour certains termes, le lien est plus difficile à discerner. Les deux participes προσδοκῶντος et διαλογιζομένων se trouvent très loin du verbe principal auquel ils sont subordonnés. Ils sont dans le verset précédent. Pour un participe, il faut aussi déterminer sa nature. Est-il adjectival ? Si oui, il s'accordera au nom dont il précise le sens. Si le participe adjectival est substantivé, il faut déterminer le rôle qu'il joue dans la proposition (sujet, complément d'objet direct, etc.). Si le participe n'est pas adjectival, il accentue son aspect verbal. S'il est indépendant, il joue le rôle d'un verbe à l'indicatif ou à l'impératif. S'il est dépendant, il est adverbial et subordonné à un verbe. Il faut chercher, dans la phrase, le verbe auquel il est subordonné. Pour les structures grammaticales compliquées, il faut probablement consulter les grammaires et les commentaires.

Pour discerner la *fonction* précise de chaque terme, il faut (1) consulter les grammaires de syntaxe grecque afin de connaître les fonctions possibles pour la forme du terme dans notre passage et (2) examiner le contexte littéraire et grammatical afin de choisir parmi les fonctions possibles celles qui conviennent au contexte. Dans les cours de grec élémentaire, l'étudiant apprend la fonction principale des différentes formes grammaticales. Par exemple, le cas accusatif est souvent employé pour indiquer le complément d'objet direct d'un verbe. Le cas datif est souvent employé pour indiquer le complément d'attribution. Le génitif est souvent employé comme un complément de nom. Mais, en réalité, les différentes formes ont des fonctions très variées dans le Nouveau Testament. L'étudiant aura du mal à maîtriser toutes les possibilités de fonctions pour chaque forme grammaticale. Mais ce genre d'identification est essentiel pour bien traduire et interpréter les phrases en grec. Donc, l'étudiant a besoin d'apprendre à se servir des outils qui décrivent les différentes fonctions pour bien faire l'exégèse. Les outils de base sont les grammaires de syntaxe grecque du Nouveau Testament. On peut aussi consulter les commentaires exégétiques pour les cas précis parce que les auteurs de ces commentaires ont aussi consulté les grammaires.

Les grammaires grecques présentent les différents emplois ou fonctions pour chaque élément grammatical. Nous recommandons l'ouvrage de Daniel Wallace, *Grammaire grecque : Manuel de syntaxe pour l'exégèse du Nouveau Testament*. Les explications de syntaxe dans ce manuel viennent le plus souvent de la grammaire de Wallace.

Nous signalons qu'il ne faut pas accepter aveuglément l'avis d'un auteur d'une grammaire grecque ou d'un commentaire. Sur beaucoup de points, les auteurs sont d'accord. Pour certains cas, les experts ne sont pas d'accord. Il faut comprendre que les auteurs font leurs conclusions sur la base des emplois dans le Nouveau Testament et ailleurs. Ils peuvent être influencés par leur expérience ou par leurs a priori doctrinaux comme tout autre exégète. C'est pour cela qu'il ne faut pas simplement adopter aveuglément les conclusions de ces experts. Dans la grande majorité des cas, nous devons leur faire confiance, étant donné le niveau de leur expertise qui dépasse de loin le nôtre. Mais, si nous constatons la présence de conclusions ambiguës ou sujettes à controverse, nous devons nous-mêmes refaire le travail contextuel qui a conduit à leurs conclusions. Parfois, l'auteur lui-même avoue la difficulté de choisir entre deux possibilités. Parfois, nous constatons l'ambiguïté parce que les auteurs ne sont pas d'accord. Parfois les auteurs sont d'accord, mais nous avons des raisons de croire qu'un a priori doctrinal qu'ils ont en commun a influencé leur conclusion.

Ainsi, nous recommandons de distinguer entre deux types d'informations que nous trouvons dans les grammaires. Les grammaires communiquent premièrement une information générale sur les différentes catégories de fonctions grammaticales possibles pour chaque forme grammaticale. Nous sommes obligés de leur faire confiance pour ces catégories, bien que certains auteurs aient plus de catégories que d'autres et que les auteurs ne soient pas toujours d'accord sur l'emploi de telle ou telle catégorie. Nous n'avons pas la connaissance nécessaire pour créer de nouvelles catégories. Ce privilège doit être réservé aux auteurs de grammaires, qui ont œuvré dans le domaine pendant de nombreuses années.

Les exemples que les auteurs donnent pour illustrer chaque catégorie sont un deuxième type d'information donné dans les grammaires. Le choix de ces exemples est basé sur le contexte littéraire que nous sommes capables d'évaluer, et qu'il faudra évaluer si le cas est débattu. Wallace signale parfois dans ses illustrations de tels cas débattus.

Prenons l'exemple du participe προσδοκῶντος (Lc 3.15) pour le premier type d'information. Nous n'avons pas trouvé un auteur qui utilise ce terme pour illustrer un point de grammaire. Donc, il faut examiner l'information générale sur les catégories possibles pour décrire la fonction de ce terme. Nous pouvons déjà tirer la conclusion à partir du diagramme de Leedy que le participe est subordonné au verbe principal ἀπεκρίνατο (Lc 3.16). Mais il faut signaler que Leedy peut aussi ne pas avoir raison. Pour certains passages, il reconnaît cette faiblesse et donne lui-même d'autres possibilités. Donc, il ne faut pas adopter aveuglément les conclusions qui sont à la base de ses diagrammes. Mais nous n'avons aucune raison de douter du lien qu'il signale entre προσδοκῶντος et ἀπεκρίνατο. Son analyse du terme correspond aux critères signalés par Wallace (p. 730-32), et nous ne connaissons aucun débat sur cette analyse.

Προσδοκῶντος est un verbe, participe présent actif génitif masculin singulier du verbe προσδοκάω. On peut chercher l'information grammaticale sur chacune de ces catégories dans une œuvre de syntaxe grecque, mais certaines catégories sont plus importantes que d'autres pour déterminer la fonction du terme. En principe, on trouve plus rapidement l'information que nous cherchons en suivant l'ordre des catégories données dans l'analyse. C'est-à-dire qu'il faut commencer par la première catégorie mentionnée. Pour le terme προσδοκῶντος, la première catégorie est « verbe ». Comme cette catégorie est trop vaste pour figurer dans une liste de catégories dans les grammaires, il faut passer à la deuxième catégorie, c'est-à-dire « participe ».

Donc, si nous voulons comprendre la fonction de προσδοκῶντος dans la première proposition de Luc 3.15, nous devons commencer nos recherches en comparant l'emploi de ce terme dans ce passage aux descriptions des fonctions des participes. Dans la grammaire de Wallace, la section consacrée aux participes (p. 684-732) décrit 18 fonctions possibles pour le participe. Cela veut dire que Wallace distingue 18 possibilités de sens pour un participe grec. Lesquelles de ces possibilités conviennent au contexte de Luc 3.15 ?

Certains indices peuvent nous aider à discerner la fonction et le sens d'un participe. Comme nous avons déjà conclu que προσδοκῶντος est subordonné au verbe ἀπεκρίνατο, nous pouvons limiter nos recherches aux fonctions adverbiales du participe (Wallace, p. 695-732), parce que le participe précise le sens du verbe dans cette phrase. Il précise les circonstances dans lesquelles l'action du verbe principal a eu lieu. C'est pourquoi les participes adverbiaux sont parfois appelés les participes circonstanciels.

Si l'on n'avait pas le diagramme de Leedy pour indiquer ce rapport, on devrait examiner l'emploi du terme dans le contexte de la phrase afin de le déterminer. Premièrement, il faudrait chercher les indices dans le texte pour savoir si le participe est adjectival ou adverbial et puis trouver le terme auquel il est lié dans la phrase. Si le participe est adjectival, il jouera le rôle d'un adjectif ou, s'il est substantivé, d'un nom. S'il joue le rôle d'un adjectif, il s'accorde avec le nom auquel il est subordonné et précise le sens de ce nom. On parlerait, par exemple d'un peuple « qui attend ». Remarquez que le participe en grec est souvent traduit par une proposition relative en français. La traduction « un peuple attendant » donnerait une phrase bizarre en français. S'il joue le rôle d'un nom, il faut décrire la fonction de ce nom dans la phrase, une fonction possible selon le cas indiqué par la forme morphologique du participe.

Προσδοκῶντος est un participe au génitif masculin singulier sans article. Il est suivi d'un nom au génitif masculin singulier avec un article (τοῦ λαου, *du peuple*). Si προσδοκῶντος était un adjectif substantivé (un nom), il faudrait trouver le nom pour lequel il est un complément. Aucun mot dans la phrase ne convient. S'il jouait le rôle d'un adjectif précisant le sens de τοῦ λαου, il devrait aussi posséder un article (τοῦ προσδοκῶντος τοῦ λαου) ou être un attribut du sujet (*Le peuple* [est] *attendant*). S'il était un attribut de τοῦ λαου (*du peuple*), on devrait trouver le nom pour lequel τοῦ λαου est un complément. Aucun mot dans la phrase ne convient.

Προσδοκῶντος, donc, doit être un participe adverbial et il faut trouver le verbe auquel il est subordonné. Le participe adverbial ou « circonstanciel est grammaticalement subordonné à un verbe (habituellement le verbe principal de la phrase) » (Wallace, p. 695). Le verbe principal de Luc 3.15-17 est ἀπεκρίνατο (*il répondit*), le verbe auquel il est subordonné selon le diagramme de Leedy.

Si l'on compare l'emploi de προσδοκῶντος dans cette phrase avec toutes les possibilités présentées par Wallace pour un participe adverbial ou circonstanciel, celle d'un participe génitif absolu convient le mieux aux indices du texte. Le participe est au génitif sans article. Il est suivi d'un nom au génitif et l'ensemble de la construction est placé au début de la phrase. Le sujet de la construction est différent de celui de la phrase principale (Wallace, p.731). Une telle construction est traduite en français avec une proposition subordonnée. Le nom au génitif devient le sujet de cette proposition subordonnée. Le diagramme de Leedy signale cette construction d'un génitif absolu en mettant τοῦ λαου à la place du sujet et προσδοκῶντος à la place du verbe sur la ligne horizontale de la proposition, bien que προσδοκῶντος précède τοῦ λαου dans le texte grec Προσδοκῶντος...τοῦ λαοῦ (*le peuple attendait*). Leedy souligne la même construction pour la proposition διαλογιζομένων πάντων (*tous se demandaient*). En se servant du diagramme de Leedy l'étudiant aurait pu omettre toutes ces analyses permettant de discerner le caractère adverbial du participe et la construction du génitif absolu. Il pourrait tout simplement vérifier que le participe génitif absolu signalé par Leedy correspond à la description donnée par Wallace (p. 731).

Avant de proposer une traduction précise pour ces deux constructions au génitif absolu, nous avons besoin d'analyser le temps et préciser la fonction des deux participes. Il faut remarquer que nous avons traduit les deux participes avec un verbe à l'imparfait en français, alors que ce sont des participes présents. Wallace explique que le temps du participe dépend du temps du verbe principal (p. 686). Le verbe principal duquel les participes dépendent est à l'aoriste (ἀπεκρίνατο, *il répondit*). En général, un participe présent exprime une temporalité contemporaine, c'est-à-dire une action ayant lieu en même temps que le verbe principal. Donc, les participes doivent aussi décrire une action dans le passé. « Quant à l'aspect, les temps verbaux au participe se comporte pour l'essentiel comme à l'indicatif » (Wallace, p. 687). Le temps présent a un aspect *progressif* et décrit une activité en cours ou en progrès (p. 561). Guy et Marcoux parle d'une « action qui dure (duratif) ou qui se répète (itérative) ».[26] L'aspect progressif dans le passé s'exprime avec un verbe à l'imparfait en français.

Nous avons déjà tiré la conclusion que ces participes précisent le sens de l'action du verbe principal. Maintenant, il faut décider comment ils en précisent le sens. Wallace décrit huit nuances spécifiques du participe circonstanciel : temporalité, manière, moyen, cause, condition, concession, but ou résultat » (p. 696). « Comme un adverbe, le participe modifie le verbe en répondant à la question 'Quand ?' (temporelle), 'Comment ?' (moyen, manière), 'Pourquoi ?' (but, cause), etc. » (p 695). Pour chacune de ces nuances, Wallace donne une définition, une clé pour l'identification et quelques exemples de son emploi dans le Nouveau Testament. Nous recommandons que l'étudiant examine la clé d'identification des différentes nuances possibles afin de discerner si l'emploi du participe qu'il analyse correspond aux éléments clés d'une ou de plusieurs fonctions décrites par Wallace. On peut essayer de rédiger une phrase selon les éléments clés mentionnés par Wallace pour chaque nuance possible. Les nuances pour lesquelles les éléments clés ne correspondent pas au contexte du terme que nous analysons seront éliminées.

---

[26] Bernard Guy et Jacques Marcoux, *Grec du Nouveau Testament*, Sherbrooke, Point de vue, 1999, p. 11.

Voici les nuances éliminées dans l'analyse du participe προσδοκῶντος (*attendait*) :

1. Un participe de manière parce que le verbe « attendre » n'exprime ni une émotion ni une attitude (p. 701)
2. Un participe de moyen parce qu'il ne répond pas à la question : « Comment il répondit ? » (p. 702)
3. Un participe de but parce qu'il suit presque toujours le verbe dont il dépend (p. 710) et la traduction donnerait une phrase bizarre (*Jean répondit afin que le peuple attende*).
4. Un participe de résultat parce qu'il ne suit pas le verbe dont il dépend (p. 712).

Voici quelques traductions possibles pour le participe προσδοκῶντος (*attendait*) :

1. Un participe de temps (p. 697) : Lorsque (pendant que, comme) le peuple attendait...Jean répondit...
2. Un participe de cause (p. 704) : Parce que (comme) le peuple attendait...Jean répondit...
3. Un participe de condition (p. 706) : Si le peuple attendait...Jean répondit...
4. Un participe de concession (p. 708) : Bien que (même si) le peuple attendait...Jean répondit...

Les deux premières possibilités donnent une proposition qui précise l'action de Jean de façon cohérente. Les deux autres donnent une phrase cohérente mais dont le lien avec la réponse de Jean est moins cohérent. On a du mal à imaginer pourquoi Jean aurait répondu « même si le peuple attendait » ou seulement « si le peuple attendait ». La traduction « comme » marche avec les deux nuances plausibles, mais elle laisse le sens et la fonction du participe dans l'ambiguïté.

Selon Wallace, le participe génitif absolu est presque toujours temporel (environ 90% du temps), mais il peut exprimer n'importe laquelle des autres nuances (p. 731). Bien que προσδοκῶντος et διαλογιζομένων portent probablement une nuance temporelle, Wallace conseille de demander si la notion temporelle est « l'élément *principal* que l'auteur a voulu souligner au moyen du participe » ou si le participe « pourrait avoir une autre valeur sémantique plus spécifique » (p. 697). L'auteur voulait-il simplement indiquer quand l'action a eu lieu ou voulait-il aussi indiquer pourquoi elle a eu lieu ? Dans le contexte du passage, l'auteur semble indiquer pourquoi Jean répond. Il répond au peuple parce que ce peuple était dans l'attente de l'arrivée du messie et se demandait si Jean n'était pas ce messie (*le Christ*). Dans ce cas, il s'agirait d'un participe adverbial causal répondant à la question, « Pourquoi Jean répondit ? » (Wallace, p. 704-5).

Le nom ὕδατι (Lc 3.16) fournit un bon exemple du deuxième type d'information donné dans les grammaires, un terme que les auteurs de grammaires grecs donnent comme exemple pour illustrer une fonction grammaticale. Ce terme est un nom au datif neutre singulier. Selon le diagramme de Leedy, il est subordonné au verbe βαπτίζω (*je baptise*). Ce complément doit, donc, modifier ou préciser le sens du verbe « baptiser ». Pour comprendre comment il en précise le sens, il faut consulter les grammaires. Quels sont les possibilités de fonctions pour ce nom au datif ? Il faut analyser les possibilités et choisir la ou les fonctions qui donnent un sens cohérent à la phrase.

Le manuel d'initiation au grec par Guy et Marcoux donne trois possibilités de fonctions pour un nom au datif : un complément d'objet indirect, un complément circonstanciel de lieu et un complément circonstanciel de moyen ou d'agent.[27] J. W. Wenham ajoute les catégories d'un complément de temps et l'emploi avec certains verbes.[28] Wallace décrit 10 emplois purement datif, 4 emplois de type locatif, 9 emplois de type instrumental et 4 emplois du datif après certains mots (p. 150-92). Il faut lire la description des différentes possibilités de fonctions afin de pouvoir discerner les fonctions qui peuvent convenir au contexte de Luc 3.16. Pour discerner une fonction possible, il faut essayer de traduire la phrase selon les critères de la fonction proposée afin de voir si elle donne une

---

[27]Ibid., p. 14.
[28] Wenham, 1994, p. 250.

traduction cohérente dans ce contexte. Si vous avez du mal à proposer une traduction, c'est probablement parce que la fonction proposée ne donne pas une traduction cohérente.

Voici quelques possibilités de fonctions pour le terme ὕδατι dans Luc 3.16 avec une traduction qui correspond aux critères donnés par Wallace (p. 154-92) pour cette fonction :

Le datif d'intérêt (p. 156) : Je vous baptise *pour l'eau / en faveur de l'eau / contre l'eau /au détriment de l'eau.*

Le datif de référence (p. 159) : Je vous baptise *en référence à l'eau.*

Le datif de lieu (p. 168) : Je vous baptise *dans l'eau.*

Le datif de moyen/datif instrumental (p. 177) : Je vous baptise *avec l'eau.*

Le datif de cause (p. 183) : Je vous baptise *à cause de l'eau.*

Les seules fonctions qui donnent une traduction cohérente sont le datif instrumental (*avec l'eau*) et le datif de lieu (*dans l'eau*).

Létourneau, Wallace et Robertson se servent tous de ce terme pour illustrer une catégorie grammaticale. Robertson pense qu'il s'agit d'un locatif (datif) de lieu (p. 521).[29] C'est-à-dire Jean baptise *dans l'eau.* Wallace pense que le terme joue un rôle double ; un datif de lieu (*dans l'eau*) et un datif de moyen (*avec l'eau*, p. 155). Létourneau donne l'exemple de ce terme pour illustrer le datif instrumental. Ensuite, il précise qu'il peut aussi indiquer le lieu (p. 67). Le problème de cette ambiguïté est difficile à résoudre parce que les deux significations marchent bien dans le contexte de l'expression de Jean-Baptiste.

Cet exemple montre pourquoi l'on ne peut pas simplement accepter l'avis d'un auteur, surtout si l'identification de la fonction d'un terme est importante pour répondre à votre question exégétique. Il vaut mieux consulter plusieurs grammaires ou commentaires pour vérifier si la fonction du terme est débattue. S'il y a un débat, l'étudiant droit évaluer les arguments et prendre une position, même si la position est de maintenir l'ambiguïté.

Dans la figure 8, nous donnons un exemple d'une analyse détaillée. Dans une telle analyse, nous voulons préciser pour chaque terme la forme (morphologie), la fonction (syntaxe), c'est-à-dire les fonctions possibles dans le contexte de cette phrase, et les liens avec d'autres termes.

Figure 8 : L'analyse détaillée de Luc 3.15-17

Terme	Forme	Fonction
Προσδοκῶντος	Participe présent actif génitif masculin singulier	Participe adverbial temporel causal subordonné à ἀπέκρίνατο
δὲ	Conjonction de coordination	Relie la phrase des versets 15-17 au verset 14.
τοῦ λαοῦ	Nom génitif masculin singulier avec article	Sujet du verbe au génitif absolu - Προσδοκῶντος
καὶ	Conjonction de coordination	Relie les deux constructions de génitif absolu
διαλογιζομένων	Participe présent moyen génitif masculin pluriel	Participe adverbial causal subordonné à ἀπεκρίνατο
πάντων	Adjectif indéfini génitif masculin pluriel	Substantivé, sujet du génitif absolu – διαλογιζομένων, antécédent n'est pas clair, probablement λαοῦ mais ὄχλοι (3.10) est possible
ἐν ταῖς καρδίαις	Nom datif féminin pluriel avec préposition et article	Datif de lieu

[29] A.T. Robertson, *A Grammar of the Greek New Testament in the Light of Historical Research*, Londres, Hodder & Stoughton, 1919, p. 521.

Terme	Forme	Fonction
αὐτῶν	Pronom génitif masculin pluriel	Génitif de possession, complément de καρδίαις antécédent = πάντων
περὶ τοῦ Ἰωάννου,	Nom génitif masculin singulier avec préposition et article	Génitif adverbial de référence indiquant le sujet en considération, complément de διαλογιζομένων
μήποτε	Conjonction interrogative de subordination	Introduit une proposition interrogative qui est le C.O.D. du participe διαλογιζομένων
αὐτὸς	Pronom intensif nominatif masculin singulier	Sujet de la proposition interrogative, antécédent = Ἰωάννου
εἴη	Verbe optatif présent actif 3ème singulier	Verbe de la proposition interrogative
ὁ χριστός,	Nom nominatif masculin singulier avec article	Attribut du sujet dans la proposition interrogative
ἀπεκρίνατο	Verbe indicatif aoriste moyen déponent 3ème singulier	Verbe principal de la phrase
λέγων	Participe présent actif nominatif masculin singulier	Complément de ἀπεκρίνατο représentant la même action, un sémitisme (Wallace, p. 725)
πᾶσιν	Adjectif indéfini datif masculin pluriel	Complément d'attribution de ἀπεκρίνατο indiquant les personnes à qui Jean répondit. Son antécédent = πάντων au verset 15.
ὁ Ἰωάννης·	Nom nominatif masculin singulier avec article	Sujet principal de la phrase
ἐγὼ	Pronom personnel intensif nominatif masculin singulier	Sujet de la 1ère proposition du C.O.D. du participe λέγων
μὲν	Particule disjonctive	Suivi de δὲ, sert à exprimer l'antithèse
ὕδατι	Nom datif neutre singulier	Complément de βαπτίζω indiquant l'instrument employé (datif instrumental) pour faire l'action ou le lieu de l'activité (datif de lieu)
βαπτίζω	Verbe présent actif indicatif 1ère singulier	Verbe de la 1ère proposition du C.O.D. du participe λέγων
ὑμᾶς·	Pronom personnel accusatif 2ème pluriel	C.O.D. du verbe βαπτίζω, antécédent = πᾶσιν
ἔρχεται	Verbe présent moyen déponent indicatif 3ème singulier	1er verbe de l'antithèse introduit par δὲ
δὲ	Conjonction de coordination	Précédé de μὲν, sert à exprimer l'antithèse entre le baptême de Jean et le baptême de Jésus.
ὁ ἰσχυρότερός	Adjectif comparatif nominatif masculin singulier avec article	Substantivé, sujet de l'antithèse
μου,	Pronom personnel génitif 1ère singulier	Ablatif de comparaison, complément de ὁ ἰσχυρότερός, antécédent = Ἰωάννης

Terme	Forme	Fonction
οὗ	Pronom relatif génitif masculin singulier	Introduit une proposition relative, complément de ὑποδημάτων, apposé au pronom αὐτοῦ, antécédent = ὁ ἰσχυρότερός, génitif de possession
Οὐκ	Adverbe de négation	Rend négative la proposition relative, complément du verbe εἰμὶ
εἰμὶ	Verbe présent actif indicatif 1ère singulier	Verbe de la proposition relative, antécédent du sujet compris dans le verbe = Ἰωάννης
ἱκανὸς	Adjectif nominatif masculin singulier	Attribut du sujet compris dans le verbe εἰμὶ
λῦσαι	Infinitif aoriste actif	Infinitif adverbial de but, complément de ἱκανὸς
τὸν ἱμάντα	Nom accusatif masc. singulier avec article	C.O.D. de l'infinitif λῦσαι
τῶν ὑποδημάτων	Nom génitif neutre pluriel avec article	Génitif de possession, complément de ἱμάντα
αὐτοῦ·	Pronom personnel génitif masculin singulier	Génitif de possession, complément de ὑποδημάτων, antécédent = ὁ ἰσχυρότερός
αὐτὸς	Pronom intensif nominatif masculin singulier	Répète le sujet de l'antithèse, antécédent = ὁ ἰσχυρότερός
ὑμᾶς	Pronom personnel accusatif 2ème pluriel	C.O.D. du verbe βαπτίσει antécédent = πᾶσιν
βαπτίσει	Verbe futur actif indicatif 3ème singulier	2ème verbe de l'anthèse introduit par δε
ἐν πνεύματι	Nom datif neutre singulier avec préposition	Complément de βαπτίσει indiquqant l'instrument employé (datif instrumental) pour faire l'action ou le lieu de l'activité (datif de lieu)
ἁγίῳ	Adjectif datif neutre singulier	Complément du nom πνεύματι
καὶ	Conjonction de coordination	Relie les deux compléments de βαπτίσει
πυρί·	Nom datif neutre singulier	Complément de βαπτίσει indiquant l'instrument employé (datif instrumental) pour faire l'action ou le lieu de l'activité (datif de lieu)
οὗ	Pronom relatif génitif masculin singulier	Introduit la proposition relative du verset 17 Complément de τὸ πτύον Antécédent = αὐτὸς La phrase relative précise que la personne qui baptise d'Esprit Saint et de feu a une pelle à la main pour vanner.
τὸ πτύον	Nom nominatif neutre singulier avec article	Sujet de la proposition relative
ἐν τῇ χειρὶ	Nom datif féminin singulier avec préposition et article	Complément du verbe sous-entendu « être » indiquant le lieu (datif de lieu) où la pelle est.
αὐτοῦ	Pronom personnel génitif masculin singulier	Génitif de possession, complément de χειρὶ, antécédent = αὐτὸς
διακαθᾶραι	Infinitif aoriste actif	Infinitif adverbial de but, complément du verbe sous-entendu « être »

Terme	Forme	Fonction
τὴν ἅλωνα	Nom accusatif féminin singulier avec article	C.O.D. du participe διακαθᾶραι
αὐτοῦ	Pronom personnel 3ème masculin singulier	Génitif de possession, complément de ἅλωνα, antécédent = αὐτὸς
καὶ	Conjonction de coordination	Relie les deux infinitifs adverbiaux
συναγαγεῖν	Infinitif aoriste actif	Infinitif adverbial de but, complément du verbe sous-entendu « être »
τὸν σῖτον	Nom accusatif masculin singulier avec article	C.O.D. du participe συναγαγεῖν
εἰς τὴν ἀποθήκην	Nom accusatif féminin singulier avec préposition et article	La préposition εἰς indique un mouvement dans l'espace vers τὴν ἀποθήκην, complément de συναγαγεῖν précisant le lieu où le blé sera amassé.
αὐτοῦ,	Pronom personnel génitif masculin singulier	Génitif de possession, complément d'ἀποθήκην, antécédent = αὐτὸς
δὲ	Conjonction de coordination	Sert à introduire l'antithèse dans la proposition relative
τὸ ἄχυρον	Nom accusatif neutre singulier avec article	C.O.D. du verbe κατακαύσει
κατακαύσει	Verbe futur actif indicatif 3ème singulier	Verbe de la proposition antithèse
πυρὶ	Nom datif neutre singulier	Complément de κατακαύσει indiquant l'instrument employé (datif instrumental) pour faire l'action ou le lieu de l'activité (datif de lieu)
ἀσβέστῳ.	Adjectif datif neutre singulier	Complément du nom πυρὶ

On peut constater que l'analyse détaillée est un travail méticuleux qui prends beaucoup de temps. Il nous semble que tout ce travail n'est nécessaire ni pour faire une bonne exégèse, ni pour faire une bonne traduction du texte. La fonction de la plupart des termes dans ce tableau est facile à discerner. Donc, le sens accordé selon la fonction de ces termes n'est pas débattu dans les commentaires. L'étudiant doit apprendre à discerner les termes dont l'analyse détaillée sera importante pour la traduction et l'interprétation du texte.

Voici quelques suggestions pour aider l'étudiant à choisir les termes importants à analyser.

1. On peut comparer différentes traductions du texte (Bible annotée, NEG, Bible de Jérusalem, Nouvelle Bible Second, TOB, etc.). Si elles donnent quasiment la même traduction pour un terme, il y a probablement un consensus sur la fonction du terme. Si vous avez du mal à reconnaître l'équivalence des traductions, ou si les traductions utilisent des tournures de phrases différentes pour le même terme, une analyse serait probablement importante. Les traductions paraphrasées et d'équivalence dynamique sont moins utiles que les traduction dites « formelles » pour discerner les problèmes de traduction.

2. On peut constater l'ambiguïté d'une traduction en français. Une analyse est importante si la traduction est ambiguë, même si les différentes versions s'accordent. C'est-à-dire, si la traduction n'indique pas clairement la fonction du terme en grec, il faut examiner les fonctions possibles. Par exemple, pour l'expression baptisé d'eau ou baptisé du Saint-Esprit, un certain nombre de versions ont cette même traduction. Mais la préposition « de » en français est très ambiguë. Elle peut signifier plusieurs types de liens syntaxiques : baptisé

dans (lieu), baptisé avec (instrument), baptisé par (agent). Les traducteurs ont décidé de laisser l'ambiguïté de la fonction du terme en grec dans la traduction.

3. On peut aussi consulter quelques bons commentaires exégétiques pour voir les problèmes qu'ils soulignent. Tous les commentaires commentent le texte. Un bon commentaire exégétique aborde les questions grammaticales concernant le choix des catégories syntaxiques. Les termes abordés dans ces commentaires sont importants à analyser.

4. Pour certaines formes morphologiques la fonction syntaxique est plus difficile à déterminer. Les formes verbales sont toujours importantes. En particulier, les participes en grec sont très nombreux et difficiles à analyser avec certitude. Parmi les cas, le génitif et le datif ont beaucoup plus d'emplois différents et leur fonction est plus difficile à déterminer que le nominatif, le vocatif ou l'accusatif. Ces formes sont souvent importantes à analyser.

5. Il faut analyser les termes qui expliquent l'articulation du passage. Comment les propositions du passage sont-elles articulées ? Quels sont les mots connecteurs qui font la liaison entre les propositions ? Les conjonctions sont toujours importantes et peuvent être difficiles à traduire. Comment l'articulation logique du passage exprime-t-elle le fil de la pensée de l'auteur ? Dans Luc 3.15-17, nous avons constaté que les pronoms relatifs et certains participes adverbiaux sont importants.

Exercices :

7.1.1 Examinez le texte d'Ac 1.4-8 dans le but de discerner les formes grammaticales importantes à analyser pour l'interprétation de l'expression « vous serez baptisés du Saint-Esprit ». Nous comptons 4 participes dans ces versets. Lesquels sont importants pour interpréter cette proposition ? Cette proposition contient un terme au datif que nous avons analysé dans Lc 3.16. Est-ce que le sens attribué à ce terme dans l'analyse de Luc 3.16 convient aussi pour l'emploi de ce terme dans Ac 1.5 ?

7.1.2 Analysez la fonction du participe ἐπελθόντος dans Ac 1.8. Est-ce un participe adjectival ou adverbial ? S'il est adjectival, quel est le nom dont il précise le sens ? S'il est adverbial, quel est le verbe auquel il est subordonné et quelles sont les nuances de Wallace possibles qui donnent une traduction cohérente ?

7.18.1 Examinez le texte d'Ac 18.24-26 dans le but de discerner les formes grammaticales importantes à analyser. Nous comptons 4 participes dans ces versets. Lesquels sont importants pour comprendre la description d'Apollos ?

7.18.2 Analysez la fonction du participe πιστεύσαντες dans Ac 19.2. Est-ce un participe adjectival ou adverbial ? S'il est adjectival, quel est le nom dont il précise le sens ? S'il est adverbial, quel est le verbe auquel il est subordonné et quelles sont les nuances de Wallace possibles qui donnent une traduction cohérente ? Quel est le temps du participe et quelles sont les possibilités de traduction pour ce temps dans le contexte d'Ac 19.2 ?

Chapitre 8

La structure du texte
(Analyse de l'articulation des propositions)

L'articulation logique des propositions

Le troisième exercice pour analyser la structure d'un texte est de décrire l'articulation logique des propositions du texte. Nous voulons décrire le fil de la pensée de l'auteur en définissant la logique qui relie toutes les propositions du texte. Les propositions sont des unités de pensée contenant en principe au minimum un sujet et un verbe (conjugué, participe ou infinitif). Dans le diagramme de Leedy, les propositions sont représentées par une ligne horizontale divisée en deux parties par une ligne verticale qui sépare le sujet du verbe. Puisque notre objectif pour cet exercice est d'analyser l'articulation logique du texte, et non pas d'en analyser la syntaxe, nous allons présenter les propositions dans l'ordre du texte.

Nous distinguons trois types d'indices de liens dans l'articulation logique d'un texte : les liens indiqués par un mot connecteur, les liens indiqués par une relation grammaticale et les liens inférés du contexte. Lorsque nous essayons d'établir l'articulation logique dans un passage, il est important de reconnaître l'ambiguïté de certains liens. Certaines conjonctions peuvent communiquer plusieurs sens selon le contexte de leur emploi. Par exemple, la conjonction δὲ au début de Lc 3.15, semble introduire une continuation de la narration. Mais la même conjonction au verset 16 est employée pour introduire un contraste. La particule μὲν dans la proposition qui précède la conjonction δὲ au verset 16 rend cette conclusion quasiment sûre. La même conjonction au verset 17 n'est pas précédée par la particule μὲν, mais le contexte soutient la conclusion qu'elle introduit une antithèse. Nous avons constaté dans l'exercice d'une analyse détaillée qu'un participe adverbial peut aussi communiquer plusieurs types de liens logiques.

L'ambiguïté des indices accentue le besoin de bien examiner le contexte avant de tirer une conclusion sur la logique entre deux propositions. On ne peut se fier à une traduction pour tirer les conclusions. Par exemple, le sens bien connu pour la conjonction οὖν est le sens déductif (*donc*). Elle indique que la proposition qui suit est « une *déduction*, une *conclusion* ou un *résumé* de ce qui a été dit précédemment » (Wallace, p. 752). Selon le lexique de Walter Bauer, William Danker, W. F. Arndt et F. W. Gingrich (BDAG),[30] elle introduit le « résultat » de ce qui la précède. Mais, selon BDAG, si elle est accompagnée d'autres particules, elle signale souvent la continuation de la narration. Le jour de la Pentecôte, Pierre a exhorté ses interlocuteurs à se repentir et à se faire baptiser pour être sauvés (Ac 2.38-40). Puis le texte raconte que « ceux qui acceptèrent sa parole furent baptisés » (Ac 2.41). L'expression μὲν οὖν introduit ce verset. C'est un des exemples donnés dans le lexique BDAG où, selon les auteurs, cette conjonction signale simplement la continuation de la narration. Beaucoup de versions adoptent la même

---

[30] *A Greek-English Lexicon of the New Testament and Other Early Christian Literature*, éd. 3, University of Chicago, 2000.

conclusion que BDAG et ne traduisent pas la conjonction (NEG, TOB, Français courant). Mais d'autres la traduisent avec la conjonction « donc » (Bible de Jérusalem, Darby). Selon le contexte, « ceux qui acceptèrent » la parole de Pierre et « furent baptisés » sont certainement le résultat des exhortations de Pierre.[31]

Parfois les indices de la traduction peuvent conduire le lecteur à tirer une conclusion opposée au sens indiqué par l'auteur. Soit l'auteur indique explicitement un lien que la traduction néglige. Soit la traduction donne une indication explicite, ou alors le texte est ambigu. Par exemple, l'auteur de l'Apocalypse emploie souvent la conjonction καὶ pour relier les propositions de la narration. La nouvelle édition de Genève traduit assez souvent cette conjonction par le terme « puis », un terme qui indique le plus souvent une succession dans le temps.[32] Le terme « καὶ » ne communique pas une succession dans le temps. L'interprète aurait tort d'établir une chronologie des événements de l'apocalypse à partir de ces répétitions du terme « puis » en français. Il pourrait aussi bien s'agir de plusieurs éléments que l'auteur a vus dans une même vision. Huit fois sur les 13 répétitions de la traduction « puis », il s'agit de ce que l'auteur a vu (« puis je vis », καὶ εἶδον).

Beaucoup de propositions n'ont aucun mot connecteur indiquant le lien logique entre la proposition et ce qui la précède. Dans ces cas, le contexte doit fournir les indices de la logique de l'auteur, et les conclusions qu'on peut en tirer sont moins sûres.

Dans le tableau de la figure 9, nous présentons les propositions de Luc 3.15-17 dans l'ordre du texte. Les lignes contenant une proposition sont intercalées avec les lignes contenant une explication des liens logiques entre les propositions. Etant donné qu'une conjonction introduit la première proposition, nous avons résumé la phrase de Luc 3.14 qui précède cette conjonction.

Figure 9 : L'articulation logique de Luc 3.15-18

Connecteur	Analyse de l'articulation logique
Résumé de Luc 3.14 Une exhortation donnée aux soldats qui posent une question à Jean-Baptiste	
δὲ	La conjonction δὲ peut exprimer un contraste, mais la série d'exhortations de Jean-Baptiste en réponse à leurs questions (Lc 3.10-14) ne semble pas être en contraste avec la réponse à la question qui se pose dans leurs cœurs (Lc 3.15). Il semble plutôt que la conjonction indique une continuation de cette récurrence de questions. Remarquez le δὲ au début des versets 11, 12, 13 et 14.
Luc 3.15a Προσδοκῶντος δὲ τοῦ λαοῦ, *Parce que le peuple attendait,*	
καὶ	La conjonction καὶ relie les deux propositions au génitif absolu, Προσδοκῶντος τοῦ λαοῦ et διαλογιζομένων πάντων… Les deux participes précisent quelque chose sur l'action du verbe principal.
Luc 3.15b καὶ διαλογιζομένων πάντων ἐν ταῖς καρδίαις αὐτῶν περὶ τοῦ Ἰωάννου, *et que tous se demandaient dans leurs cœurs au sujet de Jean,*	
μήποτε	La particule interrogative μήποτε introduit la question indirecte que les interlocuteurs de Jean *se demandaient.*
Luc 3.15c μήποτε αὐτὸς εἴη ὁ χριστός, *s'il n'était pas le Christ,*	
Lien grammatical	Comme nous l'avons constaté dans l'analyse détaillée, les 2 participes au génitif absolu subordonnés au verbe principal ἀπεκρίνατο semblent avoir une fonction causale. Jean répondit au peuple **parce que** le peuple attendait et parce que tous se demandaient si Jean

---

[31] Pour d'autres exemples de BDAG (Ac 1.6 ; 5.41), μὲν οὖν semble bien introduire le résultat de ce qui précède.

[32] Ap 5.1 ; 10.11 ; 13.1, 11 ; 15.1 ; 17.1 ; 19.9, 11 ; 20.1, 11, 14 ; 21.1, 9.

	n'était pas le Christ. On peut aussi constater un lien de récurrence de questions (Lc 3.10-11, 12-13, 14, 15-17). Nous savons que la série de questions/réponses continue, parce que Jean *répondit* (ἀπεκρίνατο Lc 3.16) à une nouvelle question (Lc 3.15).
Luc 3.16a ἀπεκρίνατο ὁ Ἰωάννης· *Jean répondit,*	
Lien grammatical	Le participe λέγων précise l'action du verbe ἀπεκρίνατο. C'est une sous-catégorie du participe de moyen, répondant à la question « Comment répondit-il ? ». Mais comme λέγων a fondamentalement le même sens que le verbe principal, Wallace l'appelle un participe redondant (p. 725). C'est probablement un sémitisme.
Luc 3.16b λέγων πᾶσιν, *disant à tous*	
μὲν	La particule introduit la première partie de la réponse de Jean dans laquelle il décrit son activité. Cette réponse continue jusqu'à la fin de 3.17. Cette réponse est le C.O.D. du participe λέγων.
Luc 3.16c ἐγὼ μὲν ὕδατι βαπτίζω ὑμᾶς· *Moi, je vous baptise dans (ou avec) l'eau,*	
μὲν...δὲ	Les indices sont forts soulignant un contraste entre le baptême de Jean (3.16c) et le baptême de Jésus (3.16g). D'abord, Jean souligne la supériorité de Jésus par deux affirmations. Jésus est plus puissant que lui et il n'est pas digne de délier la courroie de ses sandales. Puis il compare son baptême d'eau au baptême d'Esprit et de feu de Jésus.
Luc 3.16d ἔρχεται δὲ ὁ ἰσχυρότερός μου, *mais il vient, celui qui est plus puissant que moi,*	
οὗ	Luc 16d est relié à 16e par le pronom relatif οὗ. Cette proposition précise la supériorité du plus puissant et développe le contraste entre lui et Jean.
Luc 3.16e οὗ οὐκ εἰμὶ ἱκανὸς, *dont je ne suis pas digne*	
Lien grammatical	L'infinitif λῦσαι introduit une proposition épéxégétique. C'est-à-dire : la proposition explique dans quelle mesure Jean n'est pas digne (Wallace, p. 679).
Luc 3.16f λῦσαι τὸν ἱμάντα τῶν ὑποδημάτων αὐτοῦ· *de délier la courroie de ses souliers.*	
Lien grammatical	La proposition de 16g reprend le sujet de Luc 16d avec le pronom αὐτὸς dont l'antécédent est ὁ ἰσχυρότερός. Les deux propositions font une récurrence de propositions décrivant l'activité du plus fort. Il *vient* et *il baptisera d'Esprit saint et de feu.* Les propositions en parallèle (Lc 3.16g et 3.16c) soulignent le contraste entre l'activité du plus fort et l'activité de Jean (voir la figure 10).
Luc 3.16g αὐτὸς ὑμᾶς βαπτίσει ἐν πνεύματι ἁγίῳ καὶ πυρί· *Lui, il vous baptisera dans (ou avec) l'Esprit Saint et le feu*	
οὗ	Luc 3.17 est relié au sujet de la proposition 16g par le pronom relatif οὗ dont l'antécédent est αὐτὸς, celui qui baptisera dans (ou avec) le feu. La proposition précise que celui qui effectuera le vannage dans le jugement eschatologique *baptisera* les interlocuteurs de Jean *dans (ou avec) l'Esprit Saint et le feu.* Luc 3.17 semble expliquer le sens de cette expression.
Luc 3.17a οὗ τὸ πτύον ἐν τῇ χειρὶ αὐτοῦ, *dont la pelle à vanner est dans sa main*	
Lien grammatical	L'infinitif qui introduit cette proposition est un infinitif de but qui répond à la question « Pourquoi le baptiseur a la pelle à vanner dans sa main ? ». C'est pour nettoyer son aire.
Luc 3.17b διακαθᾶραι τὴν ἅλωνα αὐτοῦ *pour nettoyer son aire,*	
καὶ	La conjonction καὶ relie les deux infinitifs de but. Le baptiseur a la pelle à la main aussi pour amasser le blé dans son grenier
Luc 3.17c καὶ συναγαγεῖν τὸν σῖτον εἰς τὴν ἀποθήκην αὐτοῦ, *et amasser le blé dans son grenier,*	

δέ	La conjonction δέ introduit l'antithèse de 17c. Elle signale un contraste entre deux activités de celui qui a la pelle à la main (le baptiseur) : amasser le blé dans son grenier et brûler la paille dans un feu qui ne s'éteint pas.
Luc 3.17d τὸ δὲ ἄχυρον κατακαύσει πυρὶ ἀσβέστῳ. *mais la paille, il brûlera dans un feu qui ne s'éteint point.*	
μὲν οὖν	La conjonction οὖν semble indiquer un lien de cause à effet. Parce que les conséquences sont si graves (brûler dans un feu éternel), alors Jean annonçait la bonne nouvelle au peuple en lui adressant beaucoup d'autres exhortations. Selon BDAG, l'addition de la particule μὲν pourrait indiquer simplement la continuation du récit.
Luc 3.18 Πολλὰ μὲν οὖν καὶ ἕτερα παρακαλῶν εὐηγγελίζετο τὸν λαόν. *C'est pourquoi il annonçait au peuple la Bonne Nouvelle en lui adressant beaucoup d'autres exhortations.* (TOB)	

Figure 10 : Le contraste entre le baptême de Jean et le baptême de Jésus

Conj. Pronom personnel – **verbe « baptiser » précisé par un complément au datif** – **C.O.D.« vous »**

μὲν   Moi (ἐγὼ) –   je baptise (βαπτίζω) d'eau (ὕδατι)   –   vous (ὑμᾶς)

δὲ   Lui (αὐτὸς) – il baptisera (βαπτίσει) du Saint-Esprit et de feu (ἐν πνεύματι ἁγίῳ καὶ πυρί) – vous (ὑμᾶς)

Conseils pour la rédaction d'une dissertation exégétique

Nous avons expliqué les exercices de l'analyse de la structure d'un texte avec beaucoup de détails afin d'aider l'étudiant à les comprendre. Dans une dissertation, le but n'est pas d'expliquer aux lecteurs les détails de toutes vos observations sur la structure du texte. Le but est de répondre à la question exégétique et de soutenir votre réponse avec des indices tirés de différents aspects du contexte. Il ne faut pas embrouiller vos lecteurs avec trop de détails. Il n'est pas nécessaire non plus de séparer les différents types de données contextuelles. L'étudiant peut remarquer que nous avons parfois mélangé ces données contextuelles dans *Bouleversé par l'Esprit*. L'organisation la plus simple pour présenter vos observations exégétiques est de les présenter selon l'ordre des versets bibliques commentés. Il n'est pas nécessaire, non plus, de signaler à chaque fois le type d'argument exégétique que vous utilisez. Présentez simplement vos arguments et évaluez les arguments d'autres exégètes dans le but de convaincre vos lecteurs que vos conclusions sont bonnes.

Exercice :

8.1.1 Lisez les sections de *Bouleversé par l'Esprit* consacrées à l'exégèse des deux autres répétitions de l'expression « baptisés du Saint-Esprit », et décrivez les arguments tirés de la syntaxe et de l'articulation logique pour chaque répétition : l'expression répétée par Jésus (Ac 1.4-8, p. 133-39) et celle répétée par Pierre (Ac 11.15-17, p. 139-142).

8.18.1 Examinez l'emploi de la conjonction δὲ dans le contexte d'Ac 18.26. La traduction de la TOB indique qu'elle introduit une antithèse : « Mais, lorsqu'ils l'eurent entendu, Priscille et Aquilas … ». La traduction de la NEG suppose que cette conjonction signale simplement une continuation et ne la traduit pas : *Aquilas et Priscille, l'ayant entendu …* Quelle traduction s'accorde mieux au contexte ? Pourquoi ?

Chapitre 9

Le vocabulaire du texte
(La recherche des définitions)

Il faut déterminer le sens des mots importants dans le texte. Il est extrêmement important de se rappeler que le contexte détermine le sens précis d'un mot. Un terme peut communiquer plusieurs sens, mais le sens communiqué dans un texte doit être déterminé par le contexte. Par exemple, le terme πνεῦμα dans Ac 18.25 est souvent traduit dans le sens d'un esprit humain,[33] mais plusieurs auteurs chrétiens anciens et plusieurs commentaires exégétiques récents de bonne qualité adoptent la traduction de l'Esprit de Dieu.[34] La version NIV en anglais adopte aussi la traduction « Esprit » dans une note en bas de la page indiquant un désaccord significatif dans le comité des traducteurs. La tâche de l'exégète est de déterminer le sens précis que l'auteur veut donner au terme dans son contexte. Pour compléter cette étape, il faut d'abord choisir les termes à étudier.

Le choix des termes à étudier [35]

1. Il faut choisir les termes reconnus comme chargés d'un sens théologique dans la Bible. Dans Luc 3.15-17 plusieurs termes tombent dans cette catégorie : attendre, Christ, baptiser, Esprit, Saint, feu. Il ne faut pas présupposer connaître le sens des termes semblables.
2. Il faut choisir les termes dont le sens dans le passage n'est pas clair. Dans Luc 3.15-17, le sens du terme « Christ » peut nous sembler clair, mais il n'était pas clair pour les auditeurs de Jean. Le fait que l'expression « Baptiser du Saint-Esprit » soit interprétée de différentes manières montre que son sens n'est pas clair. Le sens de l'expression « un feu qui ne s'éteint point » n'est pas clair non plus.
3. Il faut choisir les termes répétés dans le passage ou signalés comme importants par la structure du passage. Dans Luc 3.15-17, les termes « baptiser » (βαπτίζω, 3.16) et « feu » (πῦρ, 3.16, 17) sont répétés. L'importance du terme « feu » se révèle par sa répétition ailleurs dans le même épisode (Luc 3.9).
4. Il faut choisir les termes dont le sens semble différer du sens habituel du terme. Dans Luc 3.15-17, les termes « baptiser » et « feu » semblent avoir un sens différent. On peut facilement concevoir l'idée de « plonger » quelqu'un dans l'eau, mais pas dans le Saint-Esprit. Il n'est pas un liquide dans lequel on peut plonger quelqu'un.

Il faut choisir les termes dont le sens est important pour le chercheur. Parfois l'interprète aborde un passage parce qu'il y a un intérêt particulier. De telles recherches sont légitimes mais l'interprète doit faire attention à laisser le passage parler. Il ne faut pas plaquer une signification préconçue sur un terme du texte. L'importance de l'expression « baptiser du Saint-

---

[33] Quasiment toutes les traductions en français sauf deux plus récentes, Bible de la liturgie (2015) et LSG Bayard (2018).
[34] Daniel Marguerat, *Les Actes des apôtres (13-28)*, Paris, Labor et fidès, 2015, p. 188 ; Craig Keener, *Acts : An Exegetical Commentary*, Vol. 3, Grand Rapids, Baker Academic, 2012. Ernst Haenchen, *The Acts of the Apostles : A Commentary*, Philadelphia, Westminster, 1971, p. 549-50. Pour une liste d'anciens auteurs chrétiens voir la note 5098 de Keener.
[35] Ces critères sont tirés de Fee, p. 80-81.

Esprit et de feu » se révèle importante par le débat prolongé dans nos Eglises sur son sens. Dans ce court passage il y a plusieurs mots importants pour l'interprétation du passage. Dans un travail d'exégèse il faut examiner tout ce vocabulaire. Mais on n'a pas besoin d'examiner tout le vocabulaire avec un soin identique. Suivre les étapes dans un ordre logique permettra de réduire le nombre de termes nécessitant une étude approfondie de la signification, le sens des autres devenant clair au moyen d'un examen abrégé.

La recherche lexique des définitions possibles.

La recherche du sens d'un terme dans un texte peut être divisée en deux étapes : la recherche lexique des définitions possibles et la recherche des emplois du terme dans différents contextes. On peut rapidement examiner, pour un terme, les différentes possibilités de sens proposées par les lexiques bibliques. Ceux qui n'ont pas accès à ces lexiques peuvent se servir d'un logiciel ou de ressources en ligne pour trouver des lexiques.[36] Voici un résumé des définitions données par Joseph Thayer pour le terme πνεῦμα avec les traductions possibles entre parenthèses :

1. Un mouvement de l'aire (vent, haleine des narines ou de la bouche)
2. Le principe vital par lequel le corps est animé (l'esprit humain)
3. Un esprit, c.-à-d. une simple essence, dépourvu de toute matière, possédant un pouvoir de connaissance, de désir, de décision, d'action (une âme qui a quitté le corps, un démon, un ange)
4. L'Esprit de Dieu (Esprit, Saint-Esprit)
5. La disposition ou influence qui remplit et gouverne l'âme de chacun, la source efficace de tout pouvoir, affection, émotion, désir, etc.[37] (dont la source est le Saint-Esprit ou le diable).

Puisque chaque auteur est influencé par ses expériences et ses doctrines, il est utile de consulter plusieurs lexiques. Il faut en choisir un ou deux autres. Il est presque toujours avantageux de consulter le lexique le plus complet, celui des auteurs allemands traduit en anglais dont l'abréviation (BDAG) représente les noms des auteurs : Bauer, Danker, Arndt et Gingrich. L'article sur le terme πνεῦμα prend presque cinq pages (680-85). Il y a beaucoup d'informations qui peuvent être très utiles pour le chercheur qui veut effectuer des recherches prolongées sur ce terme. Pour la recherche des définitions possibles, nous traduisons seulement les définitions de BDAG écrites en lettres grasses :

1. Un mouvement de l'air, vent, souffle
2. Ce qui anime la vie, souffle, esprit
3. Une partie de la personnalité humaine, esprit
4. Un être indépendant sans corps, en contraste avec un être qui peut être perçu par les sens physiques, esprit (Dieu, esprit bon, esprit mauvais)
5. L'être de Dieu qui influence les êtres humains, Esprit de Dieu, de Christ, Saint-Esprit
6. L'Esprit de Dieu qui se manifeste dans le caractère ou dans l'activité du peuple de Dieu, Esprit
7. Un esprit qui se manifeste, qui n'est pas de Dieu
8. Une personnalité indépendante et transcendante, l'Esprit

---

[36] Le logiciel BibleParser Web app est une bonne source de lexiques en français et en anglais. Disponible à https://archive.org/details/greekenglishlexi0000baue_i7v3/page/684/mode/2up, consulté le 5 juillet 2022.

[37] *Greek-English Lexicon of the New Testament* étant *Grimm's Wilke's Clovis Novi Testamenti*, trad. par Joseph Henry Thayer, 1886, p. 520-23, disponible à https://archive.org/details/greekenglishlexi00grimuoft/page/n5/mode/2up?view=theater, consulté le 6 juillet 2022. Les traductions en français sont celles d'Y. Petrakian dans le logiciel de BibleParser Web app, consulté le 6 juillet 2022. Selon le logiciel, ce sont les traductions du dictionnaire de J. Strong, mais les traductions correspondent aux définitions données par Thayer et non pas à celles données par Strong.

Si nous analysons les définitions de BDAG, il semble que les auteurs ne veulent pas simplement définir le terme, mais aussi décrire différents aspects de la doctrine de l'Esprit. La catégorie 4 rassemble les catégories 5 à 8. Les catégories 5, 6 et 8 décrivent la personne et l'œuvre de l'Esprit de Dieu. La catégorie 7 décrit les œuvres des autres esprits.

Un autre lexique en français, très bref mais bien connu, est le *Dictionnaire grec-français du Nouveau Testament* par Maurice Carrez et François Morel.[38] Les définitions qu'ils donnent ressemblent à la liste des définitions données dans le lexique de BDAG et représentent probablement un résumé de BDAG.

1. Un souffle, vent
2. Un souffle, esprit
3. Des hommes ou êtres (après la mort)
4. Un esprit (partie de l'homme)
5. Lieu de la vie intérieure de l'homme
6. Êtres, esprits (mauvais, démon)
7. Esprit, puissance de Dieu
8. Le Saint-Esprit
9. Une puissance d'inspiration et d'action dans l'homme (de Dieu, autre que Dieu)

Il faut remarquer que nous avons reproduit les définitions des lexiques sans copier les versets que les auteurs ont donnés pour représenter chaque définition. Dans cette première étape de recherche, nous voulons établir une liste des sens possibles du terme. Etant donné que les auteurs des lexiques peuvent être influencés par leurs expériences et leurs doctrines et avoir des opinions différentes sur le sens d'un emploi, nous voulons nous-mêmes examiner l'emploi du terme dans son contexte dans le but de discerner le sens qui lui convient avant de laisser un ou plusieurs auteurs influencer nos conclusions.

En regroupant les catégories qui parlent de la même entité, nous avons réduit le nombre de sens possibles à six que nous retiendrons pour l'analyse des emplois du terme πνεῦμα (voir la figure 10). Carrez et Morel divisent le concept de l'esprit humain en deux catégories (4, 5) et créent une autre catégorie pour l'esprit d'un être humain qu'on voit après la mort. BDAG crée une catégorie pour l'ensemble des êtres sans corps (4) et puis les divise en plusieurs catégories (5-8). Carrez et BDAG ont créé plusieurs catégories pour l'Esprit de Dieu selon la fonction de l'Esprit ou selon un aspect de son caractère.

Figure 11 : Les sens possibles pour le terme πνεῦμα

Sens possibles	Traduction en français	Sources lexiques
1. Un mouvement d'air	souffle, vent	Thayer-1, BDAG-1, Carrez-1
2. Ce qui anime la vie (l'haleine des poumons)	Souffle	Thayer-1, BDAG-2, Carrez-2
3. Une partie de l'être humain	esprit (humain)	Thayer-2, BDAG-3, Carrez-4, 5
4. L'Esprit de Dieu	Esprit, Saint-Esprit	Thayer-4, BDAG-4, 5, 6, 8 Carrez-7, 8, 9
5. Un être sans corps qui n'est pas divin	esprit (mauvais), ange, être humain après la mort	Thayer-3, BDAG-4, 7, Carrez-3, 6
6. Une disposition	esprit (de quelque chose)	Thayer-5, BDAG-3, Carrez-9

---

[38] Disponible dans le logiciel de BibleParser Web app, consulté le 5 juillet 2022.

Le terme πνεῦμα est un des termes dans l'expression *il vous baptisera du Saint-Esprit et de feu* (Lc 3.16) que nous voulons interpréter. Quels sont, dans cette proposition, les autres termes dont il faut préciser les sens ? Nous avons déjà précisé le sens de « vous » (ὑμᾶς) en identifiant l'antécédent du pronom : il s'agit de tous les interlocuteurs de Jean-Baptiste. Le sens du terme ἅγιος a été signalé dans la recherche des sens possibles pour le terme πνεῦμα. L'Esprit Saint précise qu'il s'agit de l'Esprit de Dieu. Les termes restants, dont le sens est important pour comprendre la proposition, sont « baptiser » (βαπτίζω) et « feu » (πῦρ).

L'importance du terme βαπτίζω dans la doctrine de beaucoup d'églises rend l'interprétation sans idée préconçue assez difficile. Nous devons nous souvenir que les exemples donnés dans les lexiques représentent l'interprétation des auteurs (lexicographes). Ils ne donnent pas seulement de l'information. Ils l'interprètent. Nous consultons les lexiques pour recueillir l'information qu'ils peuvent nous donner, parce que les lexicographes ont beaucoup d'expérience et ont fait énormément de travail sur les définitions des termes bibliques. Nous pouvons profiter de leur expérience. En même temps, nous devons aussi évaluer leur travail, surtout lorsque nous examinons les termes qui sont beaucoup débattus comme celui de « baptiser » (βαπτίζω). Nous ne sommes pas obligés d'accepter leurs interprétations, surtout quand les lexicographes ne sont pas d'accord entre eux. Les lexicographes ont déterminé les sens possibles pour chaque terme en examinant les emplois du terme dans la littérature grecque de l'époque. Ils ont essayé de déterminer les nuances de sens possibles pour le terme à partir du contexte des emplois. Parfois le travail dans un lexique peut représenter les préjugés ou les présuppositions théologiques de l'auteur. Comme plusieurs sensibilités théologiques existent pour l'expression « baptiser du Saint-Esprit et de feu », il est fort probable que ces préjugés ont influencé les articles lexicaux sur ce vocabulaire.

Comment l'exégète peut-il discerner si le choix d'un sens dans un lexique est le résultat d'un préjugé théologique ? Premièrement, l'exégète doit comparer les définitions données dans différents lexiques. Pour le terme βαπτίζω, nous allons comparer les lexiques de Bauer, Danker, Arndt et Gingrich (BDAG), *Greek-English Lexicon of the New Testament and Other Early Christian Literature*, et de Joseph Thayer, *Greek-English Lexicon of the New Testament*. Deuxièmement, l'exégète doit répéter le travail lexical fait par les lexicographes. Il faut examiner l'emploi du terme dans son contexte dans le but de discerner le sens qui convient. Le choix du sens accordé par le lexicographe au texte que nous examinons convient-il ? Si nous avons des doutes sur le sens qui convient, nous avons besoin d'examiner les emplois du terme ailleurs, surtout les emplois qui se trouvent dans un contexte qui ressemble au texte que nous examinons, dans le but de voir si les emplois du terme ailleurs peuvent éclairer le sens du terme dans notre texte. Cette deuxième étape fera l'objet de nos recherches au chapitre 10.

Explications et évaluation de « βαπτίζω » (BDAG)

Avant d'examiner l'article de BDAG, nous devons établir ce que nous cherchons. En principe, nous voulons utiliser les définitions possibles que les lexicographes nous donnent, sans adopter aveuglément leurs conclusions sur une définition précise pour un emploi du terme dans la Bible. Donc, nous cherchons les différentes possibilités de sens pour notre terme dans les lexiques. Ensuite, nous vérifierons le sens qu'il faut accorder à un emploi dans le texte biblique en examinant le contexte nous-même. En général, cela veut dire que nous allons surtout prêter attention aux phrases soulignées en lettres grasses au début des paragraphes, dans le lexique de BDAG.[39]

Dans la rédaction d'une dissertation ou d'une thèse exégétique, nous pouvons nous servir des exemples donnés par des lexicographes pour appuyer nos conclusions ou pour donner un exemple d'une conclusion opposée. Mais si le sens d'un terme dans notre texte est débattu, il faut tirer nos propres conclusions à partir des preuves contextuelles et exégétiques que nous présenterons. Il ne faut pas se servir d'un exemple donné par un lexicographe

---

[39] Disponible à https://archive.org/details/greekenglishlexi0000baue_i7v3/page/684/mode/2up, consulté le 5 juillet 2022.

comme preuve déterminante d'une certaine conclusion. Son exemple représente son opinion, basée certainement sur des éléments contextuels et exégétiques, et non pas l'interprétation infaillible du terme dans son contexte.

Pour le cas de βαπτίζω, nous ne sommes pas d'accord avec les auteurs pour la définition accordée à tous les exemples. Ainsi, nous allons évaluer les définitions données en jetant un coup d'œil sur les exemples donnés pour chaque définition. Nous pensons que cette démarche est justifiée parce que le sens du terme est débattu et parce que les lexicographes ne sont pas d'accord sur la définition du terme dans Luc 3.16b.

L'article de BDAG couvre les emplois de βαπτίζω dans le Nouveau Testament et dans la littérature grecque de l'époque du Nouveau Testament. Le premier paragraphe donne les différentes formes du terme utilisées dans cette littérature, le sens global du terme et quelques références bibliographiques des ouvrages où le terme est employé. Il faut chercher la signification des abréviations utilisées par BDAG dans l'introduction pour comprendre les références bibliographiques. L'affirmation que la littérature biblique (« notre littérature ») utilise le terme seulement au sens rituel ou cérémonial nous semble incorrecte. Il faut évaluer tous les emplois du terme pour pouvoir tirer cette conclusion. Nous sommes convaincu que le terme est employé dans Es 21.4 et quelques fois dans le NT pour exprimer un sens figuré qui n'est pas associé à un sens rituel ou cérémonial (voir aussi 3c de l'article).

Les auteurs de BDAG donnent 3 définitions possibles pour le terme βαπτίζω et quelques suggestions de traduction pour chaque définition :

1. Laver avec cérémonial dans un but de purification : laver, purifier,
2. Utiliser l'eau dans un rite dans le but de renouveler ou établir une relation avec Dieu : plonger, laver, submerger, baptiser,
3. Faire vivre à quelqu'un une expérience extraordinaire semblable à un rite d'eau initiatique : plonger, baptiser.

Pour chacune de ces définitions ils donnent des références bibliques et d'autres références d'ouvrages grecs pour lesquelles ils adoptent cette définition. Ces exemples sont suivis, après un tiret long, d'une liste de références bibliographiques à l'appui. Ils divisent les exemples pour les deux dernières définitions en 3 catégories pour chaque définition. Avant de commenter les différentes catégories nous voulons évaluer les définitions de base.

Il nous semble que la première définition de BDAG, « laver avec cérémonial… », est claire et bien évidente. Nous trouvons dommage que les auteurs n'aient pas mentionné les exemples dans la LXX.

La deuxième définition d'un rite d'eau « pour renouveler ou établir une relation avec Dieu » est aussi claire et évidente. Seulement, le grand nombre de traductions données suivi d'un désaveu de l'emploi de la translittération « baptiser » crée une certaine confusion. Nous signalons que « baptiser » est une translittération du grec et non pas une vraie traduction donnant le sens du mot en grec. C'est la « traduction » utilisée dans la majorité des exemples donnés pour cette définition. Dans le langage populaire aujourd'hui, le terme βαπτίζω a pris le sens technique de cette deuxième définition. Nous pensons que cette définition influence la manière de comprendre les emplois du terme qui n'ont aucun lien avec un rite d'eau initiatique.

Nous pensons que la troisième définition de BDAG est une illustration de cette influence. Ils mettent trois types d'emplois du terme dans la catégorie d'une expérience extraordinaire *semblable* à (ou *apparenté* à, « akin to » en anglais) un rite d'eau initiatique. Les auteurs ne précisent pas de quelle manière les différentes expériences sont semblables ou apparentées à un rite d'eau initiatique. Cette définition semble raisonnable seulement pour le premier type d'emploi mentionné (3a). L'emploi typologique du passage à travers la mer Rouge peut être comparé à un rite d'eau initiatique. Le passage à travers la mer Rouge (1 Cor 10.2) est semblable à un plongeon sous l'eau, et le fait que l'événement a eu lieu au début de la formation de la communauté israélite peut évoquer l'idée d'un rite initiatique.

L'inclusion de l'emploi de l'expression « baptisé du Saint-Esprit » dans la même catégorie nous semble motivée par un préjugé théologique. Un rite d'eau initiatique est mentionné dans le contexte, mais le contexte ne souligne pas la ressemblance entre le baptême de Jean et le baptême du Saint-Esprit et de feu que Jésus effectuera. Le contexte souligne la différence. Les deux « baptêmes » sont présentés en contraste. Le contraste se trouve entre les éléments employés pour baptiser. L'eau est opposée à l'Esprit et au feu. On peut imaginer que le baptême de Jésus est une initiation à quelque chose, mais rien dans le contexte ne soutient cette supposition. Le texte affirme que Jésus baptisera sans préciser le moment. Pour ce contexte, BDAG parlent d'une alliance apparemment contradictoire des mots baptême et feu. La contradiction existe seulement si l'on conclut que l'expérience est semblable ou apparentée au rite d'*eau* initiatique de Jean. Dans la sous-catégorie suivante de BDAG, nous voyons quelques emplois du terme βαπτίζω avec d'autres éléments. Nous pensons que ces emplois du terme βαπτίζω avec d'autres éléments sont plus utiles pour comprendre ce contraste.

BDAG donne l'exemple du martyre comme un troisième type d'expérience extraordinaire semblable à un rite d'eau initiatique. La ressemblance avec un rite d'eau initiatique est difficile à concevoir. Tous les exemples donnés dans cette catégorie semblent bien éloignés de l'idée d'un rite d'eau initiatique. Un martyre accablé par la persécution, une personne noyée dans les dettes ou dans la misère, une personne écrasée par un désastre personnel sont tous des exemples qui ressemblent les uns aux autres, mais il est difficile d'imaginer une ressemblance à un rite d'eau initiatique. BDAG semble avoir choisi de mettre tous les emplois du terme βαπτίζω avec des éléments autres que l'eau dans cette catégorie d'expériences extraordinaires semblables à un rite d'eau initiatique. Les auteurs (BDAG) renvoient le lecteur à la définition de « plunge » dans l'Oxford English Dictionary pour comprendre l'interprétation de ces emplois. Une des définitions explique comment l'idée de plonger peut être comprise métaphoriquement d'une manière semblable aux exemples de BDAG. « Amener soudainement [quelqu'un] à une condition ou à un état précis ».[40] Mais cette définition n'explique pas comment cette expérience est semblable à un rite initiatique. A notre avis, ces exemples doivent représenter une autre définition du terme βαπτίζω. Nous pensons que le lexique de Thayer donne une meilleure définition pour ces exemples.

Explications et évaluation de « βαπτίζω » (Thayer)

Comme dans le lexique de BDAG, le premier paragraphe de Thayer donne les différentes formes du terme βαπτίζω utilisées dans la littérature grecque de l'époque. Mais il ne donne pas un sens global du terme.

Thayer divise les définitions possibles en deux catégories. Il ne donne pas une description de la première catégorie. Il la signale par le numéro I. suivi d'un vide dans le texte. Les mots « dans le NT » qui commencent la description de la deuxième catégorie suivis d'exemples variés dans le Nouveau Testament, et le fait que quasiment tous les exemples donnés dans la première section ne viennent pas du Nouveau Testament,[41] nous font croire que la première section de Thayer donne les définitions possibles du terme avant l'influence du Nouveau Testament. Selon Thayer, les auteurs du Nouveau Testament peuvent utiliser le terme de la même manière que la littérature de l'époque, mais la plupart des emplois représentent des notions développées dans le Nouveau Testament.

Thayer donne trois définitions possibles dans la première catégorie, c'est-à-dire les définitions connues pour le terme avant l'influence du Nouveau Testament.

1. Une définition spatiale ou physique – plonger plusieurs fois, immerger, submerger. Un auteur grec (Polybe) parle des bateaux « coulés », un autre (Diodore) des animaux « plongés » sous l'eau. La Bible n'emploie pas le terme βαπτίζω avec ce sens uniquement spatial ou physique. C'est peut-être pour cette raison que

---

[40] http://www.oxforddictionaries.com/definition/english/plunge, consulté le 19 juillet 2016, notre traduction.
[41] Les exceptions sont Mc 7.4 et Lc 11.38.

BDAG mentionne cette définition dans l'introduction mais ne la donne pas comme possibilité dans la liste des définitions.

2. Une définition précisant une signification donnée à l'acte physique de plonger – *purifier en plongeant ou en submergeant, laver, rendre pur avec de l'eau, se laver, se baigner.* Thayer donne trois exemples dans la Septante (2 R 5.14 ; Sir 34.30 ; Judith 12.7) et deux dans le Nouveau Testament (Mc 7.4 ; Lc 11.38). Cette définition correspond à la première définition de BDAG.

3. Une définition métaphorique – « overwhelm » (*submerger, accabler, écraser*). Thayer donne plusieurs exemples dans la littérature grecque de l'époque, dans lesquels des personnes sont accablées par des calamités (dettes, misère, etc.) et un exemple dans la version des Septante (Es 21.4, « l'iniquité m'*écrase* »). Cette définition correspond aux exemples de 3c dans BDAG. Dans l'évaluation de BDAG, nous avons rejeté son explication que ces exemples étaient des expériences extraordinaires qui ressemblent à un rite d'eau initiatique. Nous sommes d'accord avec Thayer : ces emplois représentent une définition métaphorique dissociée des rites initiatiques néotestamentaires. Selon Thayer, les auteurs du NT connaissent aussi cette définition. Il pense que le baptême dont Jésus doit être baptisé représente les calamités par lesquelles il sera écrasé (Mc 10.38 ; Lc 12.50).

Il est difficile de traduire le mot « overwhelm », le terme anglais employé par Thayer dans cette troisième définition, par un seul mot en français. Le dictionnaire de Merriam-Webster donne les définitions suivantes : 1) bouleverser, renverser ; 2) recouvrir complètement : submerger ; 3) vaincre par une force ou un nombre supérieur ; 4) dominer ou vaincre dans la pensée ou dans les sentiments.[42] Un traducteur peut souligner l'idée spatiale de recouvrir complètement en utilisant une métaphore d'eau pour donner les traductions « submerger » ou « noyer » (noyé dans les dettes). Il peut aussi souligner l'effet des choses sous lesquelles la personne est submergée en donnant les traductions « accabler » ou « écraser » (écrasé par l'iniquité). Ces traductions insistent sur le caractère néfaste des effets dans tous les exemples donnés.

Selon Thayer, une deuxième grande catégorie recouvre tous les autres emplois du terme dans le Nouveau Testament. Selon lui, ces emplois font référence à un rite d'ablution sacré, institué premièrement par Jean-Baptiste et ensuite par l'ordre de Jésus. Il précise que le terme est accompagné de différents compléments indiquant l'élément employé pour administrer le baptême (l'eau), le but visé pour le baptême (purification, initiation), le nom associé au baptême (du Seigneur, du Père du Fils et du Saint-Esprit, de Jésus-Christ), l'effet du baptême (amener dans le corps du Christ), etc. Nous sommes d'accord avec la plupart de ses exemples, mais nous pensons que les expressions « baptisé de l'Esprit-Saint » (Lc 3.16 ; Ac 1.5 ; 11.16 ; Mt 3.11 ; Mc 1.8 ; Jn 1.33) et « de feu » (Mt 3.11 ; Lc 3.16) ne font pas référence à un rite d'ablution sacré. La définition précise que Thayer donne pour ces deux expressions semble appuyer notre conclusion. Pour baptiser du Saint-Esprit, il donne cette définition : « imprégner richement par le Saint-Esprit, (comme sa grande dispensation est appelée *une effusion*) », une définition qui vient du contexte des deux premiers chapitres des Actes des apôtres et non du contexte d'une cérémonie de baptême. Pour baptiser de feu, il donne la définition : « faire subir les conséquences terribles de l'enfer » une définition qui ressemble à la définition métaphorique déjà donnée : « accabler par les calamités ».

Dans le tableau suivant (Figure 12), nous résumons les définitions données par BDAG et Thayer dans la colonne de gauche. Dans la colonne de droite, nous résumons notre évaluation des définitions données par ces auteur. Cette évaluation donne le résultat de 5 sens possibles pour le terme βαπτίζω que nous retiendrons pour l'évaluation des emplois de ce terme.

---

[42] http://www.merriam-webster.com/dictionary/overwhelm, consulté le 4 juillet 2022, notre traduction.

Figure 12 : La recherche des définitions possibles pour le terme βαπτίζω

Les définitions possibles	L'évaluation des définitions possibles
BDAG 1. Laver de façon cérémonielle dans un but de purification : laver purifier 2. Utiliser l'eau dans un rite dans le but de renouveler ou établir une relation avec Dieu : plonger, laver, tremper, laver, baptiser 3. Faire vivre à quelqu'un une expérience extraordinaire semblable à un rite d'eau initiatique : plonger, baptiser Thayer 1. Plonger à plusieurs reprises, immerger, submerger 2. Purifier en plongeant ou en submergeant, laver, rendre pur avec de l'eau 3. Métaphoriquement submerger, écraser, accabler 4. Un rite d'ablution sacré	Certains exemples donnés pour différentes définitions nous semblent incohérents, mais les auteurs ont trouvé au moins un exemple cohérent pour chaque définition. Les deux premières définitions de BDAG semblent correspondre en général aux définitions 2 et 4 de Thayer. Nous proposons donc 5 définitions possibles pour le terme βαπτίζω dans la littérature grecque de l'époque du Nouveau Testament. 1. Plonger à plusieurs reprises, immerger, submerger 2. Laver avec cérémonial dans un but de purification : laver purifier 3. Un rite d'ablution sacré dans le but de renouveler ou établir une relation avec Dieu 4. Faire vivre à quelqu'un une expérience extraordinaire semblable à un rite d'eau initiatique : plonger, baptiser 5. Métaphoriquement submerger, écraser, accabler

Le sens du terme « feu » (πῦρ) semble évident, mais les lexiques donnent plusieurs définitions. BDAG donnent trois définitions : du feu terrestre, en tant qu'élément important de la création, d'un feu d'origine et de nature célestes, et au sens figuré. Barbara et Timothy Friberg et Neva Miller[43] donnent deux définitions, un feu terrestre et au sens figuré, mais ils distinguent entre quatre emplois figurés : (1) à l'avenir, du lieu de jugement divin du châtiment, (2) en tant que force destructrice, (3) des épreuves comme force purificatrice et (4) comme signe de la présence divine. Thayer précise que le feu du jugement peut être compris de façon figurée ou littérale. Il est aussi possible de comprendre les références au feu comme une force destructrice des deux manières. Dans la Figure 13, les sens possibles que nous retiendrons pour l'analyse du terme « feu » (πῦρ) sont donnés sans évaluer la question du sens figuré ou littéral.

Figure 13 : Les sens possibles pour le terme πῦρ
1. Un feu terrestre
2. Un feu du jugement divin
3. Un feu en tant que force destructrice
4. Un feu purificateur
5. Un feu comme signe de la présence de Dieu

Exercices :

9.1.1 Selon les critères pour choisir les termes à étudier (p. 43-44), quels sont les termes importants à analyser pour comprendre la proposition « vous serez baptisés du Saint-Esprit dans peu de jours » dans Ac 1.5 ?

9.18.1 Selon les critères pour choisir les termes à étudier (p. 43-44), quels sont les termes importants à analyser pour comprendre la description de la personne et du ministère d'Apollos ?

---

[43] *Analytical Lexicon of the Greek New Testament*, Grand Rapids, Baker, 2000.

Chapitre 10

Le vocabulaire du texte
(La recherche des emplois)

La recherche des emplois d'un terme

La deuxième étape pour déterminer le sens d'un terme dans son contexte est la recherche des indices dans le contexte des emplois du terme. Dans cette étape, nous voulons refaire le travail des lexicographes dans le but de mieux discerner le sens du terme dans différents contextes et en particulier dans le contexte du passage que nous examinons en détail. Lorsqu'on examine les emplois du terme, il ne faut pas se limiter à un examen de la traduction du terme en français dans nos versions d'aujourd'hui. Les traducteurs choisissent aussi entre les possibilités données dans les lexiques. Les traducteurs sont faillibles et ils travaillent avec des outils faillibles. Il faut observer comment le terme est employé dans chaque contexte. Nos critères de recherche viennent encore des lexiques. Selon les possibilités données dans les lexiques, énumérées dans les tableaux de notre première étape, nous posons des questions au contexte de chaque emploi du terme dans le but de discerner la définition lexique qui convient le mieux au contexte de chaque emploi. Ensuite, nous voulons examiner comment cette information peut nous aider à discerner le sens du terme dans le passage que nous essayons d'interpréter.

Pour ce qui concerne le terme βαπτίζω, nous proposons les questions suivantes pour discerner la meilleure définition pour chaque emploi. Lorsque nous examinons le contexte, n'oublions pas qu'il faut souvent lire quelques versets en amont et quelques versets en aval pour trouver les réponses à ces questions.

1. Plonger à plusieurs reprises, immerger, submerger – Cette définition est réservée aux emplois du terme qui parlent seulement de l'action physique et spatiale de plonger quelque chose dans l'eau. Y a-t-il quelque chose dans le contexte de l'emploi qui indique que le terme représente plus que l'action physique et spatiale de plonger dans l'eau ? Si oui, celle-ci n'est pas la bonne définition.

2. Laver avec cérémonial dans un but de purification – Y a-t-il un indice dans le contexte que l'action de plonger dans l'eau a une signification cérémonielle de purification ? Si oui, c'est cette définition ou la suivante qui convient.

3. Un rite d'ablution sacré dans le but de renouveler ou établir une relation avec Dieu – Y a-t-il un indice dans le contexte que l'action cérémonielle de plonger dans l'eau signale le commencement ou le renouvellement d'une relation avec Dieu ? Si oui, celle-ci est la bonne définition.

4. Faire vivre à quelqu'un une expérience extraordinaire semblable à un rite d'eau initiatique – Y a-t-il un indice dans le contexte indiquant que l'auteur ne parle pas directement du rite d'eau initiatique bien connu mais qu'il y fait allusion en utilisant des images semblables ? Si l'allusion au rite d'eau initiatique est claire, cette définition est probablement la meilleure, mais il faut reconnaître que la présence d'une allusion peut être difficile à discerner.

5. Métaphoriquement submerger, écraser, accabler – Est-ce que l'auteur parle d'un baptême qui se fait sans l'eau et qui souligne les effets négatifs extrêmes ? Si oui, cette définition semble être la meilleure. Si les effets sont moins extrêmes ou s'ils ne sont pas négatifs, le discernement de la bonne définition peut être plus difficile.

Le temps dont nous disposons pour effectuer les recherches est toujours limité. Donc, si les emplois d'un terme dans la Bible sont trop nombreux, nous sommes obligés de limiter ceux que nous examinerons. Il faut donc choisir ces emplois d'une manière logique. Il faut examiner en premier lieu et avec plus de soin les emplois du terme qui sont plus proches du texte que nous interprétons du point de vue logique. Donc, nous examinons d'abord les emplois du terme dans le contexte littéraire proche. Pour notre question exégétique, il s'agit de l'épisode dans lequel se trouve notre texte (Lc 1.20). Si nous avons des doutes sur le sens du terme qui convient le mieux dans ce contexte, nous pouvons examiner les emplois dans le contexte littéraire large (Luc-Actes). Ensuite, si l'auteur du texte que nous interprétons a écrit d'autres livres dans le Nouveau Testament, on peut examiner les emplois du terme dans ces livres. S'il y a toujours un doute sur le sens du terme dans notre passage, on passe à l'examen des emplois dans la Septante (la version grecque de l'Ancien Testament, les livres deutérocanoniques inclus) parce que les auteurs du Nouveau Testament s'inspiraient souvent de ces textes. Finalement, on peut examiner les emplois dans le contexte historique : les emplois dans le reste du Nouveau Testament et dans la littérature grecque de l'époque.

A notre avis, les emplois dans la Septante sont souvent plus importants pour comprendre un texte du Nouveau Testament que les emplois dans d'autres livres du Nouveau Testament. Les citations et allusions aux textes de la Septante montrent que les auteurs du Nouveau Testament s'inspiraient de ces textes. L'auteur de notre texte n'a pas forcément eu l'occasion de lire ou d'entendre les autres livres du Nouveau Testament. Un lien clair existe entre les Evangiles synoptiques (Matthieu, Marc et Luc), mais il est difficile de discerner qui a influencé qui. Toutefois, parce que les auteurs du Nouveau Testament écrivaient sur les sujets semblables à la même époque (la dernière moitié du premier siècle), ils pouvaient bien utiliser les mêmes termes pour parler d'idées semblables.

La recherche des emplois de βαπτίζω

Nous commençons nos recherches avec le terme βαπτίζω (Lc 3.16). Nous comptons quatre emplois du terme dans le contexte littéraire proche (Lc 3.7, 12, 16[2x]). Dans trois de ces emplois (Lc 3.7, 12, 16a), il s'agit du baptême de Jean-Baptiste. Il précise lui-même que son baptême de repentance se fait dans ou avec l'eau (Lc 3.16). Son baptême est un rite d'ablution sacré dans le but de renouveler ou établir une relation avec Dieu. BDAG et Thayer sont d'accord avec cette interprétation.

Le quatrième emploi se trouve dans la proposition que nous essayons d'interpréter : *Lui, il vous baptisera du Saint-Esprit et de feu* (αὐτὸς ὑμᾶς βαπτίσει ἐν πνεύματι ἁγίῳ καὶ πυρί, Lc 3.16b). Ce baptême n'est pas dans l'eau. Donc, selon tous les emplois de ce mot dans tous les manuscrits à notre disposition avant la rédaction du Nouveau Testament, il faut accorder un sens métaphorique à cet emploi : il vous *noyera* dans, *écrasera* de ou *accablera* d'Esprit Saint et de feu. Le verset suivant (Lc 3.17) parle d'un effet extrême effectué par le baptiseur (Jésus) en répétant le deuxième élément mentionné dans son baptême (le feu). *Il brûlera la paille dans un feu qui ne s'éteint point.* Cet effet ressemble aux effets mentionnés dans la littérature grecque cités par Thayer pour la définition métaphorique que l'on traduit par les termes submerger, accabler ou écraser. C'est une calamité infligée à la personne baptisée. « Accablé avec le feu » est effectivement la définition donnée par Thayer pour ce baptême de feu administré par Jésus. Etant donné que le terme Esprit (πνεῦμα) est aussi traduit par « vent » ou « souffle », les éléments dans le baptême de Jésus (Esprit/souffle et feu) correspondent aux deux éléments employés pour produire les effets extrêmes dans l'image du vannage au verset 17.

Etant donné que BDAG et Thayer choisissent un sens différent pour cet emploi, il faut évaluer leurs interprétations. Nous signalons d'abord que ces experts ne sont pas d'accord entre eux, non plus. Thayer voit dans l'expression « *il vous baptisera d'Esprit Saint* » une annonce de l'effusion de l'Esprit à la Pentecôte. Mais, pour la deuxième partie de ce baptême administré par Jésus, *il vous baptisera...de feu,* Thayer choisit le sens métaphorique. Il affirme que ceux qui ne se repentent pas seront « accablés avec le feu ». Son interprétation a l'avantage de s'accorder avec le contexte du message de Jean-Baptiste et avec la répétition de l'expression dans les Actes des apôtres. Nous étions nous-mêmes convaincu de cette interprétation[44] avant d'examiner la structure grammaticale de la phrase (ch. 6-8), le sens probable des termes dans l'expression (ch. 9-10), le contexte littéraire du message de Jean (ch. 13), les probabilités d'intertextes qui auraient influencé Jean (ch. 15), et les attentes populaires juives pour un messie roi-guerrier (ch. 16). L'interprétation de Thayer exige qu'on divise le baptême administré par Jésus en deux, un baptême pour les repentants et un autre pour les non repentants. Deux éléments dans la structure s'opposent à cette interprétation. Premièrement, la préposition ἐν (dans, avec) régit les deux éléments du baptême qui sont réunis par la conjonction καὶ (et) : l'Esprit Saint et le feu, indiquant qu'il s'agit d'un seul baptême. Deuxièmement, cette annonce est adressée à « tous » (ὑμᾶς). Tous les interlocuteurs de Jean participerons à l'événement décrit par cette expression énigmatique de Jean.

BDAG pensent que ce baptême de Jésus fera vivre aux interlocuteurs de Jean une expérience extraordinaire semblable à un rite d'eau initiatique. Cette interprétation est basée sur la supposition d'une ressemblance entre le baptême de Jean et le baptême de Jésus, ces deux baptêmes faisant allusion à l'œuvre du salut. Le baptême de Jean est un baptême de repentance qui prépare les interlocuteurs pour l'œuvre du salut. Si nous comprenons bien BDAG, le baptême de Jésus serait l'achèvement de l'œuvre du salut. On ne peut éliminer cette possibilité, mais rien dans le contexte ne signale que le baptême de Jésus serait *semblable* au rite d'eau initiatique de Jean. Le contexte souligne le contraste et non la ressemblance. Si BDAG ont raison, Jean introduit ici un nouvel élément dans sa prédication qui ne ressemble ni à ce qui précède ni à ce qui suit cette expression énigmatique. Etant donné qu'il s'agit d'une expression énigmatique, on doit se demander comment ses interlocuteurs auraient compris qu'il introduisait un nouveau sujet. Donc, la définition d'une expérience extraordinaire semblable au rite d'eau initiatique de Jean nous semble invraisemblable.

L'utilité des emplois dans d'autres contextes pour interpréter le terme dans notre contexte

Quand nous examinons les emplois d'un terme qui se trouvent dans un contexte différent de celui dans lequel se trouve notre texte à interpréter, nous devons ajouter une autre étape à l'analyse. Il faut non seulement discerner le sens qui convient au contexte de l'emploi, mais il faut aussi analyser la valeur de cette répétition pour nous aider à comprendre l'emploi du même terme dans notre texte. Pour effectuer cette analyse, nous proposons une deuxième série de questions pour déterminer si un emploi du terme nous aidera à interpréter notre texte.

1. Le contexte de l'emploi est-il suffisamment semblable au contexte de notre passage pour croire que ce texte a servi d'inspiration pour l'auteur ?
2. Les deux contextes sont-ils suffisamment semblables pour penser que les deux textes parlent de notions similaires ? Si la réponse est « oui » à une de ces deux questions, le contexte et le sens du terme dans un passage peuvent aider à comprendre l'autre.

---

[44] Nous pensons toujours que l'effusion de l'Esprit à la Pentecôte était un accomplissement de cette prophétie de Jean, mais que Jean lui-même ne s'attendait pas à un tel accomplissement. C'est pourquoi le terme feu n'est pas inclus dans la répétition de cette expression dans les Actes des apôtres.

Les emplois dans le contexte littéraire large

      Le contexte littéraire large de notre passage (Lc 3.15-17) comprend l'Evangile selon Luc et les Actes des apôtres, c'est-à-dire l'ouvrage à deux volumes appelé souvent Luc-Actes. Le verbe est employé 31 fois dans un total de 27 versets de Luc-Actes. Le nombre est trop grand pour parler de chaque emploi ici. Mais nous croyons que les emplois du terme qui se réfèrent au rite d'ablution sacré introduit par Jean-Baptiste et adopté par la communauté des croyants sont faciles à repérer.[45] Il est aussi évident que l'expression « baptiser du Saint-Esprit et de feu » ne se réfère pas à ce rite d'ablution. Donc, il est peu probable que la ressemblance entre ses emplois et l'expression de Lc 3.16 encourage une comparaison qui nous aidera à interpréter l'expression. Etant donné que nous avons déjà examiné Lc 3.16b, il nous reste seulement 4 emplois à examiner avec soin (Lc 11.38 ; 12.50 ; Ac 1.5b ; 11.16b). Deux de ces emplois répètent l'expression « baptiser du Saint-Esprit » dont nous cherchons la signification (Ac 1.5b ; 11.16b). Dans le tableau suivant nous examinons ces 4 emplois dans le contexte littéraire de Luc-Actes. Nous essayons de faire cette analyse de façon détaillée dans le but d'aider l'étudiant à suivre la logique. Dans la colonne de gauche, nous essayons de répondre à la première série de questions afin de déterminer le sens lexique appropriée pour chaque emploi. Nos observations (réponses aux questions) doivent justifier le sens lexique que nous choisissons. Dans la colonne de droite, nous essayons de répondre à la deuxième série de questions dans le but d'évaluer l'utilité de chaque emploi pour l'interprétation de l'expression « baptiser du Saint-Esprit et de feu » dans Luc 3.16. Nous signalons encore que nos observations (réponses aux questions) doivent justifier notre conclusion.

Figure 14 : La recherche des emplois de βαπτίζω dans le contexte littéraire de Luc-Actes

| **Lc 11.38** *il ne s'était pas lavé avant le repas* (οὐ πρῶτον ἐβαπτίσθη πρὸ τοῦ ἀρίστου)

Dans ce contexte, il semble évident que Jésus devait plonger ses mains dans l'eau, mais c'est aussi évident qu'il le fait dans un but. Donc, la traduction « plonger » ne suffit pas pour décrire l'action.

Le but de plonger dans l'eau est de se laver. Sans connaître le contexte historique, il est difficile de savoir si ce nettoyage avait un but hygiénique ou cérémoniel. Le fait que les pharisiens sont étonnés que Jésus ne se lave pas semble indiquer un but cérémoniel. Les lexiques de BDAG et Thayer donnent cette référence comme exemple d'une purification cérémonielle. Dans un passage de Marc, le caractère cérémoniel de ce nettoyage exigé par les pharisiens est plus clair (Mc 7.1-5). L'auteur parle d'observer les traditions des anciens.

Conclusion : Il nous semble que ce verset indique que Jésus n'a pas suivi le rite cérémoniel de laver ses mains avant le repas. | Le contexte de cette phrase et le contexte de l'expression de Jean-Baptiste (baptiser du Saint-Esprit et de feu) nous semblent complètement différents. Jean parle d'une activité que Jésus accomplira. Le pharisien parle d'un rite d'ablution que Jésus n'a pas fait. Donc, il est difficile de concevoir comment cet événement aurait servi d'inspiration pour Luc ou comment cet emploi pourrait nous aider à comprendre l'expression de Jean-Baptiste, que Jésus « baptisera du Saint-Esprit et de feu ». Cet emploi montre que Jésus et Luc connaissent un autre sens pour le terme « baptiser ». |
| **Lc 12.50** *Il est un baptême dont je dois être baptisé* (βάπτισμα δὲ ἔχω βαπτισθῆναι) | La juxtaposition du feu et d'un baptême, tous les deux compris au sens figuré, peuvent indiquer que ce passage parle du même sujet ou d'un sujet semblable |

[45] Rite d'ablution administré par Jean (10x) – Lc 3.7, 12, 16a, 21[2x] ; 7.29, 30 ; Ac 1.5a ; 11.16a ; 19.4 ; administré par l'Eglise (16x) – Ac 2.38, 41 ; 8.12, 13, 16, 36, 38 ; 9.18 ; 10.47, 48 ; 16.15, 33 ; 18.8 ; 19.3, 5 ; 22.16

Rien dans le contexte ne signale que Jésus doit simplement être plongé sous l'eau, ni qu'il doit se laver de façon cérémonielle, ni qu'il doit établir une relation avec Dieu par un rite d'ablution sacré. Il est déjà baptisé d'eau. Le contexte ne mentionne pas une occasion nécessitant une cérémonie. La relation de Jésus avec le Père n'a pas besoin d'être établie ou rétablie. Il est aussi difficile d'imaginer comment l'expérience que Jésus doit subir ressemble à un rite d'eau initiatique.

Plusieurs éléments semblent indiquer que Jésus parle des calamités qu'il doit subir. Le verset est entouré d'effets néfastes et extrêmes. Jésus est venu jeter un feu sur la terre (12.49) et apporter la division (12.51-53). Il semble faire allusion à la persécution de ses disciples dans la description des divisions. Thayer donne ce verset comme un exemple de cette signification. BDAG traduisent cet emploi de la même manière, mais ils placent bizarrement tous les exemples semblables dans la catégorie d'une expérience extraordinaire semblable à un rite d'eau initiatique.

Conclusion : Jésus semble vouloir dire qu'il sera accablé par des calamités (probablement sa persécution, son arrestation et sa mort) qui déclencheront aussi la persécution des disciples.

à l'expression de Jean : *il vous baptisera du Saint-Esprit et de feu*. La présence de cet emploi plus clair montre que la définition métaphorique du terme (submerger, accabler, écraser) était bien connue à l'époque de Jean, Jésus et Luc. Donc, il est raisonnable de croire que Jean-Baptiste l'emploie d'une manière semblable. Il est possible que Jésus s'inspire de Jean dans l'emploi de cette image. Mais l'inspiration vient probablement de la littérature juive signalée dans les lexiques, dans laquelle le terme est employé pour parler de la souffrance des martyrs.

Ac 1.5b *dans peu de jours, vous serez baptisés du Saint-Esprit* (ἐν πνεύματι βαπτισθήσεσθε ἁγίῳ οὐ μετὰ πολλὰς ταύτας ἡμέρας)

Ce baptême n'est pas avec l'eau et on n'a aucun indice qu'il s'agisse d'un rite.

Le contexte parle d'un effet extrême dû à l'activité du Saint-Esprit. Jésus dit à ses disciples : « vous recevrez une puissance, quand le Saint-Esprit surviendra sur vous » (Ac 1.8). Les disciples éprouvent cet effet le jour de la Pentecôte (Ac 2.1-4). Cet événement est aussi le seul événement dans Luc-Actes qu'on peut qualifier d'accomplissement de la promesse de Jésus de baptiser les disciples du Saint-Esprit dans peu de jours. On peut comparer l'action du verbe « survenir » (Ac 1.8) à l'action de « submerger ». Les deux verbes soulignent une relation spatiale (sur/sous). La personne « submergée » est *sous* [l'influence du] Saint-Esprit qui « survient » *sur* lui. Thayer donne une interprétation de ce verset qui ressemble à la nôtre, mais sans l'associer au sens métaphorique de submerger. Selon lui, baptiser du

La répétition de l'expression de Jean-Baptiste presque mot pour mot souligne le fait que nous examinons un passage étroitement lié à notre passage et à l'expression que nous voulons interpréter.

Luc 3.16 βαπτίσει ἐν πνεύματι ἁγίῳ καὶ πυρί
Ac 1.5 ἐν πνεύματι βαπτισθήσεσθε ἁγίῳ

Dans les deux passages ce baptême de Jésus est présenté en contraste avec celui de Jean-Baptiste qui baptise d'eau (ἐβάπτισεν ὕδατι). Mais Jésus ne répète pas le terme « feu ».

Les passages sont suffisamment proche que nous sommes tentés de proposer que la définition soit la même dans les deux emplois. La difficulté avec cette conclusion est le caractère positif de l'effet pour les disciples dans les Actes et le caractère négatif de l'effet pour les auditeurs de Jean. Mais il faut aussi signaler que Luc 3.17 mentionne un effet positif pour les disciples. Jésus les *amassera ... dans son grenier*. Il faut aussi remarquer que Jésus laisse tomber le terme

Saint-Esprit veut dire, « imprégner richement avec le Saint-Esprit ». Il emploie une métaphore qui ressemble plus à l'expression « rempli du Saint-Esprit » (Ac 1.4). Il est évident que l'effet expérimenté par les disciples n'est pas néfaste. Donc, les traductions « écraser » ou « accabler » ne marchent pas bien dans ce contexte.

Conclusion : Aucune définition lexique ne semble correspondre complètement à cet emploi. La plus proche semble être la définition métaphorique selon laquelle les baptisés sont « submergés » par des effets extrêmes, mais l'effet sur les personnes « baptisées » dans ce cas n'est pas néfaste comme dans les exemples donnés dans les lexiques.

particulièrement associé à l'effet néfaste dans la prédication de Jean-Baptiste : le feu.

Il nous semble raisonnable de proposer que Jésus emploie le terme « baptiser » d'une manière semblable, c'est-à-dire que Jean et Jésus pensent à un sens métaphorique soulignant un effet extrême, mais que Jésus introduit une innovation à l'emploi du terme en soulignant un effet positif. Dans ce cas, les traductions « accabler » et « écraser » ne conviennent pas. On peut utiliser « submerger » ou peut-être mieux « bouleverser » qui est moins attaché à l'image du plongeon sous l'eau mais qui a l'avantage d'être utilisé pour les effets négatifs et positifs. L'emploi métaphorique du terme « bouleverser » souligne aussi les effets extrêmes et peut convenir à une image d'eau ou à une image de vent (souffle).

Ac 11.16 *vous serez baptisés du Saint-Esprit* (βαπτισθήσεσθε ἐν πνεύματι ἁγίῳ)
Les observations et réponses aux questions lexiques sont quasiment les mêmes pour cet emploi et celui d'Ac 1.5. Le récit de la descente de l'Esprit sur les païens dans la maison de Corneille est raconté de façon à évoquer l'épisode de la Pentecôte. L'Esprit descend « sur » eux tous (Ac 11.15/1.8 ; 2.3). Ils parlent en langues et glorifient Dieu (Ac 10.46/2.4, 11). L'événement évoque les paroles du Seigneur citant Jean-Baptiste (Ac 11.16/1.5).

Conclusion : Pour les deux emplois, une définition métaphorique (bouleverser) convient le mieux, mais le caractère positif des effets subis élimine la possibilité de traduire le terme par « accabler » ou « écraser ».

Etant donné que cet emploi du terme renvoie probablement à l'emploi d'Ac 1.5, les questions concernant l'utilité de cet emploi pour interpréter Lc 3.16 provoquent les mêmes réponses.

Conclusion : Au moins 3 emplois du terme βαπτίζω dans le contexte littéraire de Luc-Actes (Lc 12.50 ; Ac 1.5b ; 11.16b) sont pertinents pour discerner le sens lexique de son emploi dans Luc 3.16. Le contexte du verset lui-même donne suffisamment d'information pour favoriser le choix du sens métaphorique donné par Thayer (submerger, accabler, écraser) qui souligne les effets extrêmes et négatifs (les calamités) subis par les baptisés. Ils subissent un tri par le souffle de l'Esprit et sont brûlés dans un feu qui ne s'éteint point (Lc 3.17). L'emploi du terme dans Lc 12.50, qui semble aussi souligner les calamités subies par Jésus, montre que Luc connaît et utilise le terme « baptiser » pour communiquer ce sens. Les deux autres emplois (Ac 1.5b ; 11.16b) soulignent des effets extrêmes mais positifs. Nous pensons que le même sens métaphorique est le meilleur choix pour ces versets, mais qu'il faut conclure que l'auteur se sert du sens métaphorique du terme d'une manière positive. Un tel emploi serait une innovation de Jésus parce qu'on ne trouve pas un exemple pareil dans la littérature grecque avant l'époque de Jésus.

Les emplois dans la Septante

Selon les priorités que nous avons établies pour la recherche des emplois, notre prochaine étape est d'examiner les emplois du terme dans la Septante afin de discerner si Luc ou Jean ou Jésus se seraient inspirés d'un passage ou d'un concept de cette version si importante dans l'Eglise primitive. Le terme est employé seulement 4 fois dans la Septante (2 R 5.14 ; Judith 12.7 ; Sir 34.25 ; Es 21.4). Pour trouver ces emplois, on peut utiliser un logiciel. L'étudiant doit lire le texte en grec pour trouver ces emplois. Deux versets se trouvent dans les livres deutérocanoniques. Parfois la référence n'est pas la même que dans un texte en français. Parfois il est difficile de reconnaître la traduction du terme en français, même si nous sommes en train de lire le bon verset. Nous rappelons aux étudiants qu'il ne suffit pas de constater la traduction donnée pour ce terme. Il faut examiner le contexte afin de discerner laquelle des 5 définitions lexiques convient au contexte de chaque emploi et ensuite poser des questions sur son utilité pour l'interprétation de l'expression de Jean-Baptiste.

Figure 15 : La recherche des emplois de βαπτίζω dans la Septante

2 R 5.14 *Il ... se plongea sept fois dans le Jourdain* (ἐβαπτίσατο ἐν τῷ Ιορδάνῃ ἑπτάκι) Le texte ici dit tout simplement que Naaman s'est plongé dans l'eau du Jourdain, mais dans le contexte nous trouvons qu'il lui a été ordonné de faire ce geste dans le but d'être purifié (2 R 5.10). (Remarquez que l'indice de purification se trouve quatre versets avant l'emploi du verbe βαπτίζω.) Rien dans le contexte n'indique que ce rite devait renouveler ou établir une relation entre Naaman et Dieu. **Conclusion :** Il semble que le terme βαπτίζω dans ce contexte est employé pour un rite de purification.	Les contextes de la purification de Naaman et de l'expression de Jean-Baptiste nous semblent complètement différents. Naaman se plonge dans l'eau. Jésus baptise dans l'Esprit Saint et le feu.
Judith 12.7 *elle se baignait ... à la source d'eau.* (TOB) (ἐβαπτίζετο ... ἐπὶ τῆς πηγῆς τοῦ ὕδατος) Le texte nous informe que Judith se baignait dans une source d'eau, mais dans le contexte nous apprenons qu'elle est rentrée de son bain « pure » (Jdt 12.10). **Conclusion :** Le vocabulaire semble indiquer que la baignade de Judith était un rite de purification.	Les contextes de la purification de Judith et de l'expression de Jean-Baptiste nous semblent complètement différents.
Sir 34.25 *Celui qui se purifie du contact d'un mort* (TOB 34.30) (βαπτιζόμενος ἀπὸ νεκροῦ, LXX 34.25) Le contexte parle de se laver après le contact avec un mort (Sir 34.30 TOB). La traduction adoptée par la TOB est « purifier ». **Conclusion :** Le contexte semble indiquer qu'il s'agit d'un rite de purification.	Les contextes de la purification de quelqu'un qui a touché un mort et de l'expression de Jean-Baptiste nous semblent complètement différents.
Es 21.4 *l'iniquité m'inonde* trad. de la LXX par Guiget (ἡ ἀνομία με βαπτίζει) L'iniquité est le sujet du verbe βαπτίζει. C'est évidemment un emploi métaphorique du verbe soulignant	Cet emploi est métaphorique et souligne un effet néfaste. En ceci, il peut ressembler à l'emploi de Lc 3.16. Mais l'élément du « baptême » qui provoque l'effet néfaste est mauvais. Dans le cas de Lc 3.16, l'élément

l'effet néfaste de l'iniquité. La traduction « inonder » évoque une idée de « plonger » et communique le résultat d'un effet néfaste. **Conclusion** : Le sens lexical d'« accabler » ou d'« écraser » est le seul qui convient au contexte.	est bon et vient de Dieu. Il est difficile de concevoir comment ce texte aurait influencé le texte de Luc.
Conclusion : Les contextes des emplois du terme dans la LXX semblent très différents du contexte de Lc 3.16 pour soutenir l'idée que cette version soit une source d'inspiration pour l'emploi de ce terme par Luc. Même si Esaïe emploie le même terme avec un sens semblable, l'emploi par Luc semble venir de sa connaissance du terme grec et non pas d'un emploi de ce terme dans la LXX.	

La recherche des emplois dans le Nouveau Testament

Si nous avons toujours un doute sur le sens de βαπτίζω dans Lc 3.16, nous pouvons continuer les recherches d'emplois du terme dans le Nouveau Testament. Nous avons trouvé encore 46 emplois du terme dans le NT à part les emplois dans Luc-Actes. La plupart de ces emplois parlent du rite d'ablution sacré introduit par Jean-Baptiste (Mt 3.6, 11a, 13, 14, 16 ; Mc 1.4, 5, 8a, 9 ; 6.14, 24 ; Jn 1.25, 26, 28, 31, 33a ; 3.23 ; 10.40) et du rite semblable administré par les disciples de Jésus (Mt 28.19 ; Mc 16.16 ; Jn 3.22 ; 4.1, 2 ; Ro 6.2 ; 1 Co 1.13, 14, 15, 16, 17 ; Ga 3.27).

Les emplois qui ne sont pas inclus dans ces deux listes sont peu nombreux. Deux emplois sont plus énigmatiques. L'apôtre Paul parle des israélites qui ont été baptisés en Moïse dans la nuée et dans la mer (1 Co 10.2) et de ceux qui se font baptiser pour les morts (1 Co 15.29). Ces deux emplois font probablement allusion au même rite d'ablution sacré et nous en avons parlé dans la discussion des articles de BDAG et Thayer. L'épisode de Jean-Baptiste dans lequel il mentionne le futur baptême de Jésus est aussi répété dans les 3 autres évangiles (Mt 3.11b ; Mc 1.8b et Jn 1.33b). Le texte de Matthieu est quasiment identique à celui de Luc. Les deux autres contiennent une forme abrégée de l'expression de Jean. La traduction de 1 Co 12.13 est débattue. Certains pensent qu'il s'agit d'une autre référence au baptême du Saint-Esprit, traduisant ἐν ἑνὶ πνεύματι par « dans un seul Esprit » (NEG, TOB). Nous pensons que l'apôtre Paul parle de l'œuvre de l'Esprit : « par le même Esprit »[46] (Français courant) pour incorporer le croyant dans (εἰς[47]) le corps du Christ, une œuvre associée au rite d'eau initiatique. Donc, nous concluons que cet exemple fait aussi référence au rite d'eau initiatique.[48]

La recherche des emplois dans la littérature grecque de l'époque du Nouveau Testament

Les auteurs du Nouveau Testament utilisent le vocabulaire de leur époque. Pour comprendre ce vocabulaire nous ne sommes pas limités aux emplois bibliques. Les emplois bibliques et surtout de la traduction grecque de l'Ancien Testament sont plus importants parce que nous savons que les auteurs du Nouveau Testament s'inspiraient de ces textes. Mais ils n'étaient pas limités au vocabulaire de cette littérature pour communiquer le message de l'Evangile. Ils pouvaient employer les termes grecs de la même manière que leurs contemporains. Pour un terme comme βαπτίζω, qui est peu employé dans la littérature biblique avant l'époque du Nouveau Testament, ces emplois courants peuvent être plus importants pour nous aider à comprendre les termes dans la Bible. Quelques sources pour trouver ces emplois sont les livres extrabibliques de la LXX et les lexiques, dictionnaires, encyclopédies et commentaires bibliques.

---

[46] Comme 1 Co 12.3 et 9.

[47] Comme Ro 6.3 ; cf. 1 Co 1.13, 15.

[48] Randall A Harrison, *Bouleversé par l'Esprit : Une étude biblique sur la découverte de l'Esprit*, Abidjan, FATEAC, 2016, p. 149-53.

Nous avons déjà consulté deux lexiques qui ont fourni deux définitions qui viennent essentiellement de cette littérature : la signification spatiale et physique de plonger dans l'eau qu'on ne trouve pas dans la Bible et le sens métaphorique de submerger, accabler ou écraser (avec seulement un emploi dans l'Ancien Testament (Es 21.4) et dans une expression de Jésus répétée trois fois dans le Nouveau Testament (Lc 12.50 ; Mc 10.38, 39). La difficulté avec ces exemples dans les lexiques est que le grec n'est pas toujours traduit en français. Dans l'article de BDAG, un emploi de Galba est traduit : « submergé par les dettes », et une phrase de Flavius Josèphe : « il a noyé la ville dans la misère ». Thayer traduit une phrase de Polybe qui emploie le terme avec le sens physique de plonger sous l'eau : « des navires coulés ». Pour d'autres emplois, il faut traduire le grec ou chercher une traduction. Il est assez facile de trouver une traduction de ces anciennes sources, mais difficile de trouver la traduction de la phrase citée parce que le système de numérotation pour les références varie d'un auteur à un autre.

La recherche des emplois pour discerner le développement des thèmes

La recherche des emplois de termes est aussi une bonne méthode pour discerner le développement des thèmes dans un livre. Bien sûr, il faut faire ces recherches avec les termes en grec. Si non, les résultats peuvent être faussés. Pour accélérer le processus, on peut chercher la répétition d'un terme en grec et lire les versets en français dans lesquels le terme est traduit. Un terme en grec n'est pas toujours traduit par le même terme en français. Nous nous servons très souvent d'un logiciel de recherches bibliques pour cette tâche dans la préparation des cours et des messages. On peut chercher rapidement la répétition de chaque terme important dans un passage. Dans ce genre de recherches, afin de ne pas prendre trop de temps, nous lisons seulement le verset dans lequel se trouve le terme pour la majorité des répétitions. Si un emploi nous intéresse, nous pouvons examiner le contexte avec plus de soins. Avec l'habitude, vous pourrez souvent rechercher et examiner les emplois d'un terme en quelques minutes. Les découvertes qui vous attendent rendront vos études beaucoup plus intéressantes et votre logiciel deviendra un outil indispensable pour vos préparations.

Conseils pour la rédaction d'une dissertation exégétique

Dans ce manuel, nous avons décrit le processus d'analyse du vocabulaire en très détaillé afin d'aider l'étudiant à comprendre comment discerner ou préciser le sens des mots dans le texte qu'il examine. Mais tous ces détails n'ont pas leur place dans une dissertation exégétique. Il faut présenter simplement les arguments en faveur de vos choix de sens pour les termes que vous examinez dans votre texte. Selon l'importance du débat sur ce sens, il faut aussi présenter les autres possibilités de sens et donner des explications à propos de celles qui ne conviennent pas dans votre contexte. Dans la présentation d'autres possibilités de sens, vous entrez en débat avec les auteurs soutenant un autre sens pour un terme dans votre texte. Vous résumez leurs arguments et montrez pourquoi votre choix est plus cohérent et convient mieux dans votre texte. Si le sens du terme n'est pas débattu, vous n'avez pas besoin de faire ce travail.

Exercices :

10.1.1 Dans ce chapitre, nous avons proposé une série de questions pour discerner la meilleure définition pour le terme βαπτίζω dans chaque contexte. Examinez la liste des sens possibles pour le terme pneu/ma (figure 10, p. 47) et proposez les questions que vous pouvez utiliser pour vous aider à discerner le sens approprié d'un emploi de ce terme. Examinez la liste des sens possibles pour le terme πῦρ (figure 12, p. 52) et proposez les questions pour discerner son sens.

10.1.2 Lisez la section consacrée aux « significations possibles pour le terme baptiser » dans *Bouleversé par l'Esprit* (p. 62-64). Remarquez la brièveté de cette présentation en comparaison avec l'analyse présentée dans ce manuel. Remarquez les arguments donnés contre les interprétations de James Dunn et Max Turner.

10.18.1 Examinez la liste des sens possibles pour le terme πνεῦμα (figure 10, p. 47) et proposez les questions que vous pouvez utiliser pour vous aider à discerner le sens approprié du terme dans le contexte d'Ac 18.24-28.

10.18.2 Plusieurs termes dans Ac 18.24-28 sont utilisés souvent par Luc dans des thèmes importants pour comprendre son ouvrage (δυνατὸς ou δύναμις, ὁδός, πνεῦμα, παρρησιάζομαι, etc.). Examinez les emplois d'un de ces termes et décrivez l'essentiel de ce que Luc veut communiquer par ce thème. Comment cette information nous aident-elle à discerner les sens dans la description d'Apollos ?

Chapitre 11

La traduction du texte

Le but d'une traduction dans un travail exégétique

Ayant examiné les problèmes textuels (critique textuelle), la structure du texte (syntaxe), et le vocabulaire du texte, nous sommes prêts à faire une traduction annotée du texte. Dans une dissertation exégétique, il faut souvent présenter votre traduction du texte grec dans la partie introductive. Cela ne veut pas dire qu'il faut commencer par ce travail. Faire une traduction avant d'examiner les variantes du texte, la syntaxe et le vocabulaire du texte n'est pas conseillé. L'étudiant risque de choisir tout simplement la traduction en français qui convient à ses conclusions préconçues. Le risque d'eiségèse est trop grand.

Que voulons-nous accomplir par une bonne traduction annotée du texte ? Pour bien répondre à cette question, il faut comprendre la théorie sous-jacente à la pratique de traduction. Commençons avec une description de la traduction biblique par Michael J. Gorman :

> Une traduction [de la Bible] ... est une tentative scientifique de traduire les histoires et les pensées de personnes issues de cultures anciennes qui parlaient des langues anciennes, dans une langue moderne parlée par des personnes vivant dans des cultures contemporaines très différentes. La traduction, comme l'exégèse, est un art plutôt qu'une science précise. Chaque traduction est elle-même une interprétation. Par conséquent, dans un certain sens, chaque traduction de la Bible est une sorte d'exégèse simplifiée représentant d'innombrables jugements et décisions interprétatifs.[49]

Gorman a bien signalé que ce travail est « une tentative scientifique ». Il est scientifique parce qu'on se sert d'outils de recherche bien réfléchis basés sur des années de recherches scientifiques. Mais c'est une tentative parce que les langues et cultures bibliques sont tellement différentes des langues et cultures contemporaines qu'il est impossible de communiquer tout ce que les auteurs originaux ont voulu communiquer par une traduction.

La description de Gorman peut servir de tremplin pour parler du but d'une traduction dans un travail exégétique. La traduction est effectivement « une sorte d'exégèse simplifiée » de votre travail. Elle représente « les jugements et décisions interprétatifs » de vos recherches exégétiques. En lisant votre traduction et vos annotations (notes en bas de page), les exégètes (les personnes ayant une connaissance de base du travail exégétique) devraient pouvoir comprendre l'essentiel des conclusions interprétatives de votre travail. Etant donné qu'une traduction ne suffit pas pour communiquer toutes les nuances de la langue-source,[50] nous devons essayer de combler les lacunes par des annotations.

---

[49] *Elements of Biblical Exegesis : A Basic Guide for Students and Ministers*, Peabody, Hendrickson, 2001, p. 41, notre traduction.
[50] La langue qu'on veut traduire

Les critères d'une bonne traduction

Comment traduire un texte ? Quels sont les critères pour faire une bonne traduction ? Au vingtième siècle, Eugene A. Nida a développé un concept de traduction qui a changé le paradigme d'évaluation d'une bonne traduction biblique. Selon Nida, le but d'une traduction était auparavant de reproduire la forme du message : les jeux de mots, la répétition des mots, les parallélismes, les chiasmes, la structure grammaticale des phrases, etc. Au lieu de focaliser sur la forme du message, Nida propose une focalisation sur la réponse du récepteur (lecteur ou auditeur). Il faut comparer la réponse présumée des premiers récepteurs du texte dans la langue source (le grec pour l'exégèse du Nouveau Testament) à la réponse des récepteurs du texte dans la langue cible[51] (le français pour notre travail d'exégèse). Selon lui, on devrait mesurer la qualité d'une traduction par la compréhension et la réaction des lecteurs ou auditeurs qui parlent la langue cible. La traduction est bonne si elle produit une compréhension et une réaction semblables à celles des premiers récepteurs.[52] Le but est de reproduire dans la langue réceptrice l'équivalent naturel le plus proche du message en langue source, d'abord en termes de sens et ensuite en termes de style.[53]

Les traducteurs qui suivent les principes de Nida ne traduisent pas un texte mot pour mot. L'objectif n'est pas une traduction littérale. Ils traduisent sens pour sens. Dans le langage de Nida, les traducteurs qui accentuent la forme du message cherchent à produire une correspondance formelle du texte dans la langue cible. Ceux qui se préoccupent du sens cherchent à produire une équivalence dynamique ou fonctionnelle du texte. En vérité, les deux objectifs sont impossibles à atteindre entièrement. Nida explique :

> L'équivalence dynamique doit donc être définie en termes de degré par lequel le récepteur du message dans la langue réceptrice y répond d'une façon substantiellement identique à celle par laquelle le récepteur y répondait dans la langue source. Cette réponse ne peut jamais être identique, parce que les contextes culturels et historiques sont trop différents, mais il doit y avoir un haut degré d'équivalence de la réponse, sans quoi la traduction a manqué son but.[54]

La Mission Wycliffe Suisse a évalué certaines traductions en français selon le degré de correspondance formelle ou littérale ou d'équivalence dynamique. Selon ce groupe de traducteurs, la version Chouraqui est « très (voir trop) littérale et peu compréhensible ». La Parole de Vie (2000) est « la version la plus abordable ». La figure 16 place quelques traductions en français dans une liste selon le degré de traduction littérale ou d'équivalence dynamique.[55] Les trois dernières s'inscrivent dans le principe de traduction à équivalence dynamique.

Figure 16 : La diversité des traductions bibliques en français

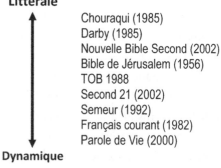

Littérale

Chouraqui (1985)
Darby (1985)
Nouvelle Bible Second (2002)
Bible de Jérusalem (1956)
TOB 1988
Second 21 (2002)
Semeur (1992)
Français courant (1982)
Parole de Vie (2000)

Dynamique

---

[51] La langue dans laquelle on veut traduire

[52] Eugene A. Nida et Charles R. Tabor, *The Theory and Practice of Translation*, Leiden, Brill, 1969, p. 1-2

[53] Ibid., p. 12

[54] Ibid., p. 22, traduction en français par Claire Placial, « Application et limites de la théorie de l'équivalence dynamique en traduction biblique : le cas du *Cantique des cantiques* », Université Paris Sorbonne, https://hal.archives-ouvertes.fr/hal-01165827/document, consulté le 16 juillet 2022.

[55] Selon l'évaluation de Wycliffe Suisse : https://fr.wycliffe.ch/quelle-est-la-meilleure-traduction-de-la-bible/, consulté le 16 juillet 2022.

Le but de Nida vise la production d'une traduction pour un grand public ayant peu de connaissances bibliques. Pour les traducteurs inspirés de la théorie de Nida, la capacité de la majorité des récepteurs dans la langue cible à comprendre et recevoir le message comme les premiers récepteurs est le critère le plus important pour une bonne traduction. Les traducteurs sont prêts à sacrifier la compréhension de certaines nuances communiquées par la forme du message si la conservation de la forme empêche le récepteur moyen dans la langue cible de bien comprendre l'essentiel du message. Ce principe semble raisonnable dans le contexte du travail de Nida et des milliers de traducteurs dans le monde qui suivent ce principe parmi les peuples ayant peu de connaissances bibliques.

Les critères d'une bonne traduction dans un travail exégétique

Nous n'avons pas le même but pour la traduction dans une dissertation exégétique parce que les lecteurs ne sont pas les mêmes. Les lecteurs d'une dissertation exégétique ont généralement beaucoup de connaissances bibliques. Ils comprennent déjà l'essentiel du message. Ils ont quelques connaissances de la forme des langues sources et de la culture des premiers récepteurs. La traduction annotée dans une dissertation exégétique devrait communiquer un maximum de nuances qui auraient été comprises par les premiers récepteurs. Une traduction simple dans la langue cible ne pourrait suffire. Les annotations doivent fournir ce qui manque à la traduction. Le plus souvent l'exégète voudra suivre le principe de correspondance formelle pour faire une traduction de type littéral et mettra en annotation les informations nécessaires pour une meilleure compréhension du texte.

Il faut expliquer ce que nous voulons dire par « une traduction de type littérale ». Nous ne parlons pas d'une traduction mot à mot. Une telle traduction serait incompréhensible surtout parce que la structure des phrases en grec est tellement différente de la structure des phrases en français. Une traduction interlinéaire est probablement le type de traduction la plus littérale. A titre exemple, la traduction interlinéaire dans la figure 17 est une traduction mot à mot de Luc 3.15-16a. Cette traduction interlinéaire représente quand même quelques décisions interprétatives. Nous avons employé la traduction lexique d'une conjonction (δὲ) et de deux prépositions (ἐν, περὶ) qui semble convenir le mieux au contexte et nous avons traduit quelques noms et prénoms (αὐτῶν, πᾶσιν) en attribuant le sens le plus utilisé pour la forme grammaticale de ces termes. Mais, comme les participes grecs peuvent parfois être traduits par un participe en français, et les étudiants francophones sont tentés de les traduire de cette manière, ils sont traduits ainsi dans cette version interlinéaire.

Figure 17 : La traduction interlinéaire de Lc 3.15-16a

Προσδοκῶντος δὲ τοῦ λαοῦ καὶ διαλογιζομένων πάντων ἐν ταῖς καρδίαις αὐτῶν περὶ τοῦ Ἰωάννου,
Attendant et le peuple et raisonnant tous dans les cœurs d'eux au sujet de le Jean,

αὐτὸς μήποτε εἴη ὁ χριστός, ἀπεκρίνατο λέγων πᾶσιν ὁ Ἰωάννης· ἐγὼ μὲν ὕδατι βαπτίζω ὑμᾶς·
lui que...ne pas est le Christ il répondit disant à tous le Jean ; moi - d'eau je baptise vous ;

Cette traduction donne la "phrase" suivante : « Attendant et le peuple et raisonnant tous dans les cœurs d'eux au sujet de le Jean, lui que...ne pas est le Christ, il répondit disant à tous le Jean ; moi d'eau je baptise vous ». Nida a raison de conclure qu'une telle traduction littérale est « difficile à comprendre si elle n'est pas accompagnée d'une traduction plus libre ».[56]

Comparons deux traductions en français du même texte : une de type littéral et une qui s'inscrit dans le principe d'équivalence dynamique. On voit que Darby utilise presque les mêmes termes en français dans presque le

---

[56] Eugene A. Nida, *Bible Translating : An Analysis of Principles and Procedures, with Special Reference to Aboriginal Languages*, New York, American Bible Society, 1947, p. 11.

même ordre que la traduction mot à mot. Sa traduction prend en considération la fonction grammaticale des participes et du datif ὕδατι. A l'exception du verbe « répondait[57] », la traduction de Darby représente bien le vocabulaire et la syntaxe de la phrase en grec.

Figure 18 : La comparaison entre une traduction littérale et une traduction dynamique

Une traduction de type littérale	Une traduction de type dynamique
Et comme le peuple était dans l'attente, et que tous raisonnaient dans leurs cœurs à l'égard de Jean si lui ne serait point le Christ, [16] Jean répondait à tous, disant : Moi, je vous baptise avec de l'eau (Darby Lc 3.15-16a)	Le peuple attendait, plein d'espoir : chacun pensait que Jean était peut-être le Messie. [16] Jean leur dit alors à tous : « Moi, je vous baptise avec de l'eau (Bible en français courant Lc 3.15-16a)

La traduction en français courant ajoute les mots « plein d'espoir » vraisemblablement pour reproduire une réaction semblable à celle que les premiers récepteurs auraient expérimentée en entendant l'idée que le peuple attendait, une réaction déclenchée par l'attente messianique au premier siècle. La traduction de Darby semble vouloir accomplir une réaction similaire en remplaçant le verbe « attendaient » par l'expression « étaient dans l'attente ». La traduction en français courant ajoute aussi l'adverbe « alors » probablement avec le sens de « dans ce cas » pour indiquer une conséquence du questionnement de ses interlocuteurs. Elle a aussi changé le vocabulaire du questionnement et de la réponse. La correspondance formelle de la phrase grecque pour le questionnement des interlocuteurs donne une traduction un peu maladroite en français. La traduction en français courant simplifie la construction et la rend facile à comprendre. Mais la phrase en grec souligne l'importance de la réflexion ou du raisonnement chez les interlocuteurs de Jean. Pour ce qui concerne la réponse de Jean, la version en français courant remplace le verbe « répondit » par le verbe « dit ». Le résultat est une conséquence plus naturelle que les récepteurs d'aujourd'hui pourraient plus facilement comprendre. Au lieu de répondre à une question intérieure de ses interlocuteurs, Jean semble discerner leur questionnement et y répondre : il « dit alors ». C'est peut-être une bonne interprétation de la phrase, mais étant donné l'arrière-plan de l'expérience des prophètes dans l'Ancien Testament, le vocabulaire et la structure en grec pourraient aussi bien souligner le discernement prophétique de Jean.

Dans une traduction de type littéral pour une dissertation exégétique, nous recommandons la formulation de phrases cohérentes en français, qui ne suivent pas forcément l'ordre des mots dans le texte grec mais qui reproduisent les liens entre mots communiqués par la syntaxe grecque. Par exemple, dans la figure 17, nous voyons que le sujet vient plusieurs fois après la forme verbale à laquelle elle est logiquement attachée. Pour écrire une phrase cohérente en français, il vaut mieux inverser cet ordre. Le peuple attendait. Tous raisonnaient. Jean répondit. Parfois le complément d'un verbe en grec n'est pas dans le bon ordre pour une phrase correcte en français. A la place d'écrire : « d'eau, je baptise », il vaut mieux écrire : je baptise d'eau. Ces transpositions sont naturelles pour ceux qui travaillent dans les deux langues. Nous n'avons pas besoin de les mentionner dans les annotations. Il faut une annotation pour une transposition qui n'est pas naturelle. Par exemple, pour montrer que la proposition relative de Luc 3.17 précise le sens du baptiseur à la fin de Luc 3.16, tout le verset 17 sera déplacé dans notre traduction annotée.

Dans les annotations, il faut signaler les décisions interprétatives importantes qui ont conduit à votre traduction, et préciser le sens du texte en grec que vous n'avez pas pu communiquer par la traduction. Il faut résumer les conclusions de vos analyses de la syntaxe et du vocabulaire du texte : les choix de variantes, les précisions sur les fonctions grammaticales, et les précisions du sens du vocabulaire. Il ne faut pas reproduire les arguments et explications présentés dans la section consacrée aux commentaires exégétiques.

---

[57] Le verbe ἀπεκρίνατο est à l'aoriste et non pas à l'imparfait.

La traduction annotée de type littéral de Luc 3.15-17

Parce que[58] le peuple attendait et que tous délibéraient[59] dans leurs cœurs à l'égard de Jean,[60] si lui, il n'était pas le Christ,[61] il répondit en disant à tous : Moi, je vous baptise avec de l'eau ;[62] mais celui qui est plus fort que moi[63] dont je ne suis pas digne de délier la lanière de ses sandales[64] vient, lui dont la pelle à vanner est dans sa main pour nettoyer son aire et amasser le blé dans son grenier, mais il brûlera la paille dans un feu qui ne s'éteint point,[65] il vous baptisera (accablera)[66] avec [le]Souffle[67] saint et du feu.

Conseils pour la rédaction d'une dissertation exégétique

Dans une dissertation exégétique, il faut souvent présenter votre traduction du texte grec dans la partie introductive. C'est une manière de présenter votre dissertation en miniature avant d'entrer dans les détails. Cela ne veut pas dire qu'il faut commencer par ce travail. Faire une traduction avant d'examiner les variantes, la syntaxe, et le vocabulaire du texte n'est pas conseillé. L'étudiant risque de choisir tout simplement la traduction en français qui convient à ses conclusions préconçues. Le risque d'eiségèse est trop grand. Les études de contextes littéraire et historique peuvent aussi changer les décisions interprétatives qui vous ont conduit à une première traduction. Donc, si vous faites votre traduction annotée avant de faire vos analyses de ces contextes, vous aurez peut-être besoin de modifier votre traduction ou vos annotations. Comme nous avons examiné le contexte littéraire et certaines possibilités intertextuelles dans l'analyse du vocabulaire, nous n'aurons peut-être pas beaucoup de modifications à faire

---

[58] Les deux participes, προσδοκῶντος et διαλογιζομένων, semblent communiquer une nuance causale. Jean répondit parce que le peuple attendait [le Christ] et parce que tous se demandaient si Jean n'était pas le Christ.

[59] Cette définition de Thayer semble mieux introduire la question indirecte de tous. La traduction « se demandaient » introduit mieux la question, mais elle ne communique pas le degré de raisonnement communiqué par ce verbe.

[60] Les termes περὶ τοῦ Ἰωάννου sont omis par deux témoins tardifs : le minuscule 131 (XIVème siècle) et la version en Syriaque (Syrus Curetonianus, IVème-VIIème siècle). Les plus anciens et meilleurs témoins soutiennent le texte de NA28. Ceci est vrai pour toutes les variantes signalées dans l'apparat critique de NA pour Lc 3.15-17. Nous estimons que cette annotation sur une telle variante n'est pas nécessaire. Elle sert d'exemple d'une annotation de la critique textuelle. Pour ces versets, nous pensons que l'étudiant pourrait simplement signaler qu'aucune variante importante de Lc 3.15-17 n'est signalée par Metzger dans *A Textual Commentary on the Greek New Testament*. Ainsi notre traduction est basée sur le texte du *Novum Testamentum Graece*, 28ème éd. de Nestle-Aland.

[61] « Christ » n'est pas une traduction. C'est une translitération du mot grec dont le sens « Oint » est bien connu.

[62] Le terme ὕδατι est un datif de sphère (« dans l'eau »), ou de moyen (« avec de l'eau »), ou il peut avoir les deux connotations (voir Wallace, p. 155). Etant donné que Jean veut souligner le contraste entre lui et Jésus et que le sens instrumental convient mieux au contexte métaphorique du Souffle et du feu (3.16b et 17), nous avons choisi la traduction d'un datif de moyen.

[63] Le participe adjectival substantivé « le plus fort que moi » doit souvent être traduit en français « par un pronom démonstratif accompagné d'une proposition subordonnée relative », Guy et Marcoux, p. 122

[64] Nous avons changé l'ordre des mots en grec afin de mettre la proposition relative à côté du nom dont il précise le sens (« le plus fort »).

[65] Nous avons changé l'ordre des mots en grec afin de mettre la proposition relative (verset 17) à côté du sujet (lui – le baptiseur) dont il précise le sens.

[66] Nous utilisons la translitération du terme grec (βαπτίζω) afin de maintenir l'élément parallèle du contraste. Jean emploie la répétition de ce terme dans un jeu de mots afin de souligner le contraste entre deux sens du même terme. Le baptême de Jean est un rite d'ablution sacré dans le but d'établir ou de renouveler une relation avec Dieu. La traduction « baptiser » convient au baptême de Jean parce que cette définition est celle qui est le plus souvent associée au terme en français. Pour le baptême de Jésus, les auditeurs de Jean auraient compris le terme dans le sens métaphorique qui souligne les effets néfastes. Ainsi, nous avons mis la traduction « accabler » entre parenthèses. Etant donné que l'image présentée au verset 17 est probablement une illustration de cette phrase énigmatique, on pourrait traduire l'annonce de Jean selon le principe d'une équivalence dynamique en utilisant deux sens du terme βαπτίζω : « il vous emportera avec son Souffle Saint et vous détruira avec du feu ».

[67]Nous avons choisi la traduction « Souffle » pour le terme πνεῦμα parce qu'il convient à l'illustration présentée au verset 17. Nous l'avons écrit avec une lettre majuscule et ajouté l'article entre crochets parce que l'adjectif « saint » indique qu'il s'agit du souffle de Dieu. Luc semble se servir de l'ambiguïté de ce terme comme d'autres auteurs bibliques (cf. Es 11.1-4 ; Jn 3.8 ; 20.22).

dans la traduction finale. L'annotation pour le mot « Souffle » montre que nous avons déjà examiné une possibilité d'intertexte pour cette expression de Jean (voir ch. 15).

Nous signalons que certaines annotations dans cet exemple sont longues parce que nous avons voulu inclure quelques explications qui ne sont pas nécessaires dans une dissertation exégétique. Ceci est clair dans l'annotation qui parle de la critique textuelle (12). Dans notre analyse du terme ὕδατι, nous n'avons ni tiré une conclusion du sens dans son contexte ni donné nos arguments pour cette conclusion. Ainsi, nous les avons inclus dans l'annotation 14. L'annotation expliquant la traduction d'un participe substantivé (15) n'est pas nécessaire. C'est un principe enseigné dans les cours d'initiation au grec du Nouveau Testament, même s'il est souvent oublié. Le commentaire sur la traduction selon le principe d'une équivalence dynamique (18) n'explique pas la traduction adoptée. Nous l'avons ajouté dans le but d'élucider le concept. La dernière phrase du commentaire sur l'ambiguïté du terme πνεῦμα (19) anticipe le chapitre sur l'intertextualité.

Exercices :
(Il faut effectuer ces exercices après avoir complété vos analyses de syntaxe et de vocabulaire.)
11.1.1 Faites une traduction de type littéral avec annotations d'Ac 1.4-8.
11.18.1 Faites une traduction de type littéral avec annotations d'Ac 18.24-26.

Chapitre 12

Le genre du contexte littéraire

Les genres littéraires du Nouveau Testament

Le genre littéraire indique le type de conventions littéraires suivies par un auteur dans la rédaction de son œuvre. Autrement dit un auteur écrit son œuvre en suivant consciemment ou inconsciemment un certain nombre de « règles » venant de la tradition littéraire de son époque. En principe, ces « règles » étaient reconnues consciemment ou inconsciemment par ses lecteurs originaux et les aidaient à comprendre le texte. L'analyse du genre d'un texte exige une comparaison entre le texte que nous interprétons et les autres textes de son époque. C'est pourquoi nous avons inclus l'analyse du genre dans les pistes de recherche utiles pour l'examen du contexte historique (p. 12). Mais dans l'analyse du contexte littéraire, nous avons besoin de discerner les conventions littéraires suivies par Luc dans la rédaction de son ouvrage afin de pourvoir comprendre sa structure et le fil de sa pensée. C'est un autre exemple de la difficulté qu'il y a à découper les recherches exégétiques en tâches séparées. Nous avons déjà rencontré cette difficulté dans l'analyse du vocabulaire : il fallait examiner le contexte littéraire et la possibilité des intertextes pour discerner le sens d'un mot.

Dans le Nouveau Testament, nous distinguons trois genres littéraires et un bon nombre de sous-genres.[68] *Matthieu, Marc, Luc-Actes* et *Jean* sont des exemples de *récits historiques*.[69] L'A*pocalypse* représente un genre qu'on appelle aussi *apocalypse*. Tous les autres livres du Nouveau Testament sont des *épîtres*. Pour répondre à notre question exégétique sur la parole prophétique de Jean-Baptiste, nous voulons surtout examiner le genre du récit historique. Mais nous voulons aussi donner quelques indications sur des aspects particuliers à examiner pour les deux autres genres dans le Nouveau Testament.

Les épîtres

Selon le *Nouveau dictionnaire biblique,*

> « Les ép. du N.T. sont toujours des écrits de circonstances réels, nés dans un certain contexte historique donné ; elles s'adressent à des destinataires bien précis pour répondre à des questions posées, corriger des erreurs, redresser des torts, exhorter, avertir, louer ou tancer [réprimander] les gens ... Néanmoins, les rédacteurs de ces ép. ont conscience de donner dans ces lettres un

---

[68] Par exemple, paraboles, discours, récits d'annonce de naissance, récits de miracles, hymnes, etc.
[69] Selon Craig Keener, la tendance actuelle parmi les exégètes est d'adopter le genre des biographies gréco-romaines pour les Evangiles, *Commentary on the Gospel of Matthew*, Grand Rapids, Eerdmans, 1999, p. 17. Nous avons débattu ce sujet dans notre *Introduction aux récits du Nouveau Testament*, notes préparées pour le cours d'Introduction aux Evangiles et Actes à la FATEAC, fév. 2016.

enseignement dont la portée dépasse la circonstance et les destinataires immédiats. Ils supposent qu'elles seront lues dans toutes les communautés de la ville (Rom. 16.5, 15) ou de la province (1 Cor 1.2), et même qu'elles circuleront d'une Eglise à l'autre (Col. 4.16) ».[70]

Certains indices du texte peuvent éclairer les circonstances de l'écrit. Par exemple, nous savons que Paul répond à plusieurs questions posées par les destinataires dans 1 Corinthiens : sur des vierges (7.1), sur la viande sacrifiée aux idoles (8.1), sur les dons spirituels (12.1). Il corrige aussi certains problèmes : le problème des divisions (1.11), le problème de la débauche (5.1), le problème des procès entre croyants (6.1). L'interprète doit examiner comment son texte est lié à ces problèmes et à ces questions.

Les épîtres suivent très souvent le même schéma que les autres épîtres de l'époque. Elles ont une *introduction épistolaire* contenant le nom de l'auteur, le nom du (des) destinataire(s) et une salutation. Cette introduction est suivie d'une section de *transition* exprimant des liens entre l'auteur et les destinataires. Dans le Nouveau Testament la transition contient souvent des reconnaissances ou une prière pour les destinataires.[71] Le *corps* de l'épître contenant les sujets que l'auteur veut aborder suit la transition. L'épître se termine par une *clôture* contenant souvent des salutations et des bénédictions. Comment l'auteur biblique se sert-il de ce schéma pour accomplir ses buts ?

L'apocalypse

Le livre de l'Apocalypse dans le Nouveau Testament semble être un mélange de trois genres différents. Ce fait contribue à la difficulté de son interprétation. Il a une introduction épistolaire contenant le nom de l'auteur, le nom des destinataires et une salutation (1.4-6), une petite transition exprimant ses liens avec les destinataires (1.9a) et une clôture contenant une salutation (22.21). En tant qu'épître, l'Apocalypse s'adresse aux problèmes particuliers de destinataires bien précis.

L'œuvre de l'Apocalypse est aussi appelée *une prophétie* (1.3 ; 22.7, 10, 18, 19). La prophétie appartient au genre oratoire, elle vise un résultat immédiat pour le bien du peuple, le langage est direct, le style généralement clair. La prophétie contient aussi un élément de prédiction, mais contrairement au genre apocalyptique cet élément de prédiction est au second plan. Le point de focalisation est le comportement et les obligations morales du peuple de Dieu. Les prédictions de l'avenir viennent soutenir ces appels à obéir à Dieu.

L'auteur donne comme titre de son œuvre *l'Apocalypse de Jésus-Christ* (1.1). Le mot « apocalypse » signifie révélation de ce qui est caché ou voilé. Selon Alfred Kuen, « Le genre apocalyptique était en grande faveur dans les milieux juifs palestiniens dès le 2e siècle av. J.C. c.-à-d. depuis l'époque maccabéenne jusqu'à la défaite de Bar Kokhba en 135 de notre ère ».[72] Le livre de l'Apocalypse partage un certain nombre de caractéristiques avec l'ensemble de la littérature apocalyptique. Voici un résumé des caractéristiques signalés par Kuen avec quelques commentaires :

Des révélations. Des visions et des révélations concernant les choses cachées (l'au-delà, l'avenir, le ciel, l'enfer, le jugement et le royaume messianique). Ces révélations ne sont pas destinées au grand public, mais à une minorité initiée au langage apocalyptique. À la différence des grands prophètes de l'Ancien Testament, le contenu du message a rarement un caractère éthique. Comme ces grands prophètes, l'Apocalypse a aussi un but direct d'exhortation, d'encouragement et de réprimande. Jean appelle les membres du peuple de Dieu à la repentance (2.5, 16, 21, 22 ; 3.3, 19) et à une vie conforme à leur profession de foi.

---

[70] René Pache et A. Kuen, éd., « Epître », Saint Légier, Emmaüs, 1992, p. 419.

[71] Comme l'*Epître aux hébreux* n'a ni introduction épistolaire ni section de transition, certains interprètes pense qu'il s'agit non d'une épître mais d'un traité théologique. Mais la salutation finale (Hé 13.18-25) semble indiquer que cette « parole d'exhortation » (13.22) est une lettre adressée à un groupe de croyants ayant des dirigeants (24).

[72] *Introduction au Nouveau Testament 4ème volume : L'Apocalypse*, Saint-Légier, Emmaüs, 1997, p. 91.

Symbolisme. Une autre différence d'avec les prophètes est le langage mystérieux, énigmatique et symbolique. Rivières, montagnes et étoiles, bêtes et personnages célestes et infernaux y abondent. Souvent ces symboles ont une signification conventionnelle que l'on retrouve dans toutes les apocalypses : les bêtes représentent des hommes, les cornes des rois, les étoiles des hommes ou des anges. Les nombres 3, 7, 10, 12, 1000 et leurs multiples ont également des sens symboliques et commandent souvent la structure du message.

Pessimisme. L'apocalyptique s'adresse à un peuple persécuté pour le consoler. Le message se résume souvent à ceci : finalement, Dieu vaincra, mais en attendant, les choses iront de mal en pis ; des guerres, des famines, des tremblements de terre et d'autres désastres ravageront l'humanité, surtout avant l'intervention de Dieu ou de son Messie pour instaurer son règne. Ce pessimisme est absent de notre Apocalypse.

Le triomphe de Dieu. Le pessimisme ne concerne que le monde contemporain. En *son temps* Dieu interviendra.

Prédictions. À la différence de la littérature prophétique, *grosso modo* l'apocalyptique est plus intéressée par *la prédiction* d'un avenir lointain que par la *prédication* à ses contemporains sur la base d'un avenir immédiat résultant de leur comportement.

Perspective historique. L'intérêt de l'apocalyptique est plus théologique qu'historique.[73]

Les récits historiques

Luc-Actes est un récit historique. Ainsi, il ressemble aux autres récits de son époque. Luc commence son œuvre par une préface qui ressemble de près à la préface d'autres œuvres de son époque.[74] Il a recours à des répétitions et à des parallèles littéraires comme d'autres ouvrages.[75] Comme d'autres auteurs, il commence son œuvre à deux volumes par une préface décrivant l'ensemble (Lc 1.1-4), et son second volume par un résumé du premier (Ac 1.1-3) avant de continuer son récit.[76] Il paraît écrire une histoire selon les conventions littéraires de son époque. Les historiens de son époque ne suivaient pas les mêmes critères que les historiens d'aujourd'hui. Par exemple, ils se souciaient plus du message essentiel de ce qui a été dit plutôt que de vouloir citer les personnes « mot pour mot ». Lucien de Samosate, écrivant vers 165 ap. J.-C., conseillait aux historiens de s'assurer que le langage d'une personne faisant un discours convienne à sa personne et à son sujet.[77] Il affirme souvent que Thucydide était un historien modèle.[78] Thucydide croyait qu'il était trop difficile de se souvenir des discours « mot pour mot ». Pour les discours dans l'histoire des Guerres du Péloponnèse (431-411 av. J.-C.), son habitude était de « faire dire aux orateurs ce qui est, à mon avis, exigé d'eux par les occasions différentes, bien sûr en respectant le plus fidèlement possible l'idée générale de ce qu'ils ont vraiment dit ».[79]

Luc suivait-il de pareils critères ? Nous pensons qu'il faut plutôt souligner la deuxième affirmation de Thucydide dans le cas de Luc, étant donné qu'il avait accès aux témoins oculaires (Lc 1.2). Sûrement, Luc respectait le plus fidèlement possible l'idée de ce qu'ils ont vraiment dit. Mais nous n'avons probablement pas les paroles mot

---

[73] Ibid., p. 94-97, résumé tiré de L. Morris, *Revelation*, London, Tyndale Press, 1971.

[74] David E. Aune, *The New Testament in Its Literary Environment*, Library of Early Christianity, éd. Wayne A. Meeks, Philadelphia, Westminster, 1987, p. 120-21.

[75] Andrew C. Clark, *Parallel Lives : The Relation of Paul to the Apostles in the Lucan Perspective*, Paternoster Biblical and Theological Monographs, Carlisle, Cumbria, UK et Waynesboro, GA, Paternoster, 2001, p. 185.

[76] Aune, p. 117, 120. On appelle la technique « récapitulation et reprise ». Aune pense que la récapitulation s'étend jusqu'au verset 5. Nous sommes persuadé que la reprise commence au verset 4, où Luc reprend son récit avec les deux derniers éléments de son premier volume, des instructions sur la proclamation du royaume (Lc 24.47-49 ; Ac 1.4-8) et l'ascension (Lc 24.50-51 ; Ac 1.9-11).

[77] Lucian, « How to Write History », Loeb Classical Library, éd. par G. P. Goold, Lucian VI, trad. par K. Kilburn, Cambridge/Londres, Harvard University, 1990, p. 71, notre traduction.

[78] Ibid., p. 23, 29, 37, 55, 57, 67. 69.

[79] *Peloponnesian War*, The Crawley Translation, New York, Random House, 1982, p. vii, xiv, 13, I, 22, notre traduction.

pour mot des orateurs, dans les Actes des apôtres. Nous avons vraisemblablement les résumés dans le langage de Luc de ce qu'ils ont vraiment dit.

Luc n'a pas suivi toutes les conventions littéraires de son époque. A la différence des autres historiens, son narrateur change de voix, de la 3ème personne à la première personne (Ac 16.11-18.18 ; 20.6-28.29). En ceci son œuvre ressemble aux récits historiques de la Septante.[80] Il y a d'autres ressemblances à ces récits. Les premiers chapitres de Luc-Actes (Lc 1.1-3.20) se lisent comme quelques livres de l'Ancien Testament, le vocabulaire et les tournures de phrases étant très semblables.[81] Ceci suscite chez le lecteur une attente pour une continuation de l'histoire biblique.[82] Toutes ces données soulignent l'importance de l'intertexte de la Septante pour comprendre les citations et les allusions dans le récit de Luc. Il est aussi intéressant de comparer les modalités importantes de narration exploitées dans les récits historiques de la Septante à celles exploitées par Luc. De la liste de Meir Sternberg nous insistons sur les modalités suivantes : l'exploitation du temps, l'exploitation des points de vue (ou perspectives), l'exploitation des ambiguïtés, l'emploi des analogies dans des parallélismes, comparaisons, contrastes, récurrences et chiasmes, l'emploi du développement des personnages dans la stratégie et l'emploi des schémas compositionnels.[83]

Observations générales sur la structure des récits du Nouveau Testament

Bien que les analyses exégétiques présentées dans ce manuel puissent être utilisées pour mieux comprendre n'importe quel texte, ce qui nous intéresse en particulier pour répondre à notre question exégétique est la structure des récits du Nouveau Testament et en particulier la structure de Luc-Actes. Certains éléments dans la structure de ces récits se ressemblent. Les nombreux événements racontés dans le même ordre dans les Evangiles selon Matthieu, Marc et Luc témoignent d'une forte ressemblance entre ces Evangiles. L'Evangile selon Jean et les Actes des apôtres, qui ressemblent moins aux autres récits, ont quand même plusieurs éléments semblables.

Ces ressemblances sont sûrement dues aux influences du milieu qu'ils ont en commun. L'influence de la version grecque de l'Ancien Testament (la Septante) est ressentie dans les nombreuses citations et allusions que l'on trouve dans ces récits. Le style et le vocabulaire dans beaucoup de micro-récits des Evangiles et des Actes des apôtres évoquent certains récits de l'Ancien Testament. Une autre source d'influence vient des traditions de l'Eglise primitive transmises oralement ou par écrit.

Quels sont les traits caractéristiques des récits du Nouveau Testament qui peuvent nous aider à comprendre la structure de ces livres ? Selon Mark Allen Powell, les récits du Nouveau Testament sont « essentiellement épisodiques ».[84] C'est-à-dire qu'ils sont composés d'une chaîne d'épisodes racontés l'un après l'autre. Les entêtes dans nos versions servent souvent à signaler les différents épisodes : « Tentation de Jésus-Christ » (Lc 4.1), « Jésus dans la synagogue de Nazareth » (Lc 4.16), « Mission des douze apôtres » (Lc 9.1).[85] La conclusion de Powell ressemble

---

[80] Parmi les livres bibliques et deutérocanoniques qui introduisent un narrateur à la 1e personne sont Esdras, Néhémie, 1 Esdras, Tobit, 2 Maccabées ; voir William S. Kurtz, « Narrative Approches to Luke-Acts », *Biblica* 68, 1987, p. 205-6.

[81] John Drury, Tradition and Design in Luke's Gospel : A Study in Early Christian Historiography, Londres, Longman & Todd, 1976, p. 185-86, Brown, p. 256-499.

[82] Voir John Drury, « Luke », *The Literary Guide to the Bible*, éd. Robert Alter et Frank Kermode, Harvard University Press, 1987, p. 419-20 ; Ward Gasque, « A Fruitful Field », *Interpretation* 42, 1988, p. 120; et surtout Brian S. Rosner, « Acts and Biblical History », in *The Book of Acts in Its First Century Setting*, vol. 1 *Ancient Literary Setting*, éd. Bruce W. Winter et Andrew D. Clarke, Grand Rapids, Eerdmans, 1993, p. 65-82.

[83] *The Poetics of Biblical Narrative : Ideological Literature and the Drama of Reading,* Indiana Literary Biblical Series, Robert M. Polzin, éd., Bloomington, Indiana, Indiana University Press, 1985, p. 39.

[84] *What is Narrative Criticism?* Minneapolis, Fortress, 1990, p. 40.

[85] Exemples tirés de la Nouvelle Edition de Genève (NEG), 1979.

à la description donnée par Luc au début de son ouvrage à deux volumes (Luc-Actes). Dans cette introduction, Luc compare son œuvre à celle des auteurs qui ont *entrepris de composer un récit des événements qui se sont accomplis parmi nous* (Lc 1.1). La description de Luc correspond à la définition d'un récit. Selon Jean-Noël Aletti, un récit est « l'exposition d'une suite d'évènements dont l'enchaînement constitue l'histoire ».[86] Les récits du Nouveau Testament sont composés d'une chaîne d'événements ou épisodes. L'unité logique de base de ces récits semble être l'épisode. Powell affirme que beaucoup d'épisodes peuvent être « compris » et « appréciés » hors du contexte de l'ensemble du livre, une conclusion qui soutient l'existence indépendante de ces épisodes dans la tradition orale avant la rédaction des livres. Mais il affirme qu'une analyse littéraire devrait pouvoir discerner les liens de causalité entre les épisodes.[87]

Dans le résumé de son premier volume (l'Evangile selon Luc), Luc divise ces événements ou épisodes en deux catégories. Il parle de *tout ce que Jésus a commencé de faire et d'enseigner* (Ac 1.1). On trouve des épisodes qui racontent les actes de Jésus (les guérisons, les miracles, le choix des disciples, etc.) et d'autres qui sont composés de ses enseignements. Pour comprendre le fil de la pensée de Matthieu, Marc, Luc et Jean, nous devons discerner comment ces auteurs regroupent et organisent ces épisodes. Comment en font-ils l'articulation ? Selon l'expression de Luc, nous avons besoin de comprendre leur « *manière suivie* » d'exposer ces épisodes (Lc 1.3).

La recherche des liens de causalité suggérée par Powell est la clé pour comprendre le fil de la pensée d'un auteur. Comment discerner ces liens de causalité ? Si l'unité logique de base est l'épisode, on devrait trouver les indices de liens de causalité dans les phrases de transition entre les épisodes.

La délimitation des épisodes dans les récits du Nouveau Testament est souvent facile à déterminer. Les auteurs introduisent souvent les épisodes en précisant le cadre dans lequel l'épisode a eu lieu. Le plus souvent l'introduction est très brève. L'épisode de la guérison d'un lépreux est introduit par quelques mots : « Jésus était dans une des villes ; et voici ... (Lc 5.12). Une introduction plus longue peut indiquer l'importance de l'épisode. Par exemple, une introduction de trois versets et demi (Lc 6.17-20a) prépare le lecteur pour l'enseignement de Jésus sur un endroit plat (Lc 6.20b-49). Dans l'introduction, Luc informe son lecteur qu'une *foule de disciples* et *une multitude de personnes* sont venues d'endroits éloignés pour l'écouter et pour être guéries. Après avoir guéri ceux qui étaient tourmentés par des esprits impurs et beaucoup d'autres qui cherchaient à le toucher, il lève les yeux et les enseigne. Parfois, l'épisode se termine avec une conclusion : Après avoir achevé tous ces discours devant le peuple qui l'écoutait ... (Lc 7.1a). Après avoir démontré la bonne nouvelle du royaume de Dieu par les actes de puissance, Jésus proclame les principes du royaume en paroles. Luc signale la fin de cet épisode par une phrase de transition : *Après avoir achevé tous ces discours devant le peuple qui l'écoutait, Jésus entra dans Capernaüm* (Lc 7.1).

Ces indices fournis par le narrateur établissent l'unité logique du sermon sur un endroit plat, mais ils ne révèlent guère la structure du livre ou le rôle joué par ce discours dans la communication de son message. D'autres commentaires du narrateur semblent établir des unités logiques plus grandes, composées d'un groupe d'épisodes, et suggérer une structure plus révélatrice du fil de la pensée de l'auteur. Deux fois, le narrateur de Matthieu signale explicitement le commencement d'une phase du ministère de Jésus. Au chapitre quatre, le ministère public de Jésus est introduit par la phrase : *Dès lors Jésus commença à prêcher, et à dire : Repentez-vous, car le royaume des cieux est proche* (Mt 4.17). Au chapitre seize, le narrateur indique un changement dans les priorités de son ministère : *Dès lors Jésus commença à faire connaître à ses disciples qu'il fallait qu'il aille à Jérusalem, qu'il souffre beaucoup de*

---

la part des anciens, des principaux sacrificateurs et des scribes, qu'il soit mis à mort, et qu'il ressuscite le troisième jour (Mt 16.21). Jésus devait préparer ses disciples à sa souffrance, sa mort et sa résurrection.

Luc semble utiliser d'autres dispositifs dans l'organisation de son œuvre à deux volumes : Luc-Actes. Ce n'est pas un commentaire du narrateur, mais une parole prophétique de Jésus qui anticipe l'organisation géographique de son deuxième volume : « Mais vous recevrez une puissance quand le Saint-Esprit viendra sur vous (Ac 2.1-4) et vous serez mes témoins à Jérusalem (Ac 2.5-8.3), dans toute la Judée et la Samarie (Ac 8.4-11.18) et jusqu'aux extrémités de la terre (Ac 11.19-28.31) » (Ac 1.8, notre traduction). Les mentions géographiques sont beaucoup moins nombreuses dans son premier volume. L'introduction de beaucoup d'épisodes ne mentionnent pas le cadre géographique. Cependant plusieurs mentions semblent importantes dans l'Evangile selon Luc. Le commencement du ministère de Jésus en Galilée est mentionné dans Luc 4.14. C'est un commentaire du narrateur qui n'introduit pas un épisode, mais qui résume l'impact des activités de Jésus en Galilée : *Jésus, revêtu de la puissance de l'Esprit, retourna en Galilée, et sa renommée se répandit dans tout le pays d'alentour.* Une mention géographique au chapitre neuf semble signaler une autre phase dans le ministère de Jésus : *Lorsque le temps où il devait être enlevé du monde approcha, Jésus prit la résolution de se rendre à Jérusalem* (Lc 9.51). Le texte rappelle souvent ce voyage à Jérusalem (Lc 9.53/ 13/33-44 ; 17.11 ; 18.31 ; 19.11, 28). Le début de la dernière section de l'Evangile n'est pas clair. Le voyage est clairement indiqué, mais le moment de l'entrée à Jérusalem n'est pas mentionné. La dernière mention de la montée à Jérusalem se trouve dans Lc 19.28 : *Après avoir ainsi parlé, Jésus marcha devant la foule, pour monter à Jérusalem.* C'est une phrase de transition entre l'enseignement de Jésus à la fin de l'épisode de la conversion de Zachée et un épisode près de Béthanie intitulé « Entrée triomphale de Jésus à Jérusalem » dans la version NEG. Ceci semble indiquer le commencement d'une nouvelle section, mais deux fois après cette mention, Jésus *approchait de Jérusalem* (19.37, *de la ville* 19.41). Dans Luc 19.45, *Il entra dans le temple.*

Les prophéties sont importantes également dans l'organisation du premier volume de Luc. Une prophétie de l'Ancien Testament est citée au début des sections qui introduisent le ministère des protagonistes. Les ministères de Jean-Baptiste et de Jésus sont introduits chacun par une citation du prophète Esaïe, (Jean – Es 40.3-5/Lc 3.4-6, Jésus – Es 61.1-2/Lc 4.18-19). Le ministère des disciples de Jésus est introduit par une citation du prophète Joël (Jl 2.28-32/Ac 2/17-21).

En conclusion, dans l'analyse de la structure d'un texte, il faut discerner le découpage du texte en unités logiques et les liens logiques qui les relient. Les observations générales sur la structure des récits du Nouveau Testament nous donnent des pistes de recherche pour trouver ces unités et ces liens. Pour la structure d'un livre, nous voulons discerner le découpage en épisodes et examiner les phrases de transition pour découvrir comment l'auteur organise et regroupe ces épisodes pour communiquer son message. Il faut effectuer un travail semblable pour décrire la structure d'un épisode. Il faut discerner les unités logiques de l'épisode et décrire comment elles sont articulées pour communiquer le message de l'auteur dans cet épisode.

Chapitre 13

Le contexte littéraire proche

Les niveaux du contexte littéraire

Tout le monde sait qu'il faut interpréter un texte dans son contexte littéraire. La difficulté est de savoir comment étudier le contexte littéraire dans le but de trouver des indices pertinents pour l'interprétation d'un passage. Tous les détails d'un livre sont logiquement liés les uns aux autres. Donc, nous pouvons trouver des détails pertinents pour l'interprétation d'un texte n'importe où dans l'ensemble du livre. Mais nous n'avons souvent pas le temps d'examiner soigneusement tout le livre pour trouver ces détails. Nous devons gérer notre temps. Il ne faut pas simplement se fier à notre connaissance du livre et choisir les textes à examiner au hasard. L'examen de certaines parties du livre est plus fructueux que d'autres. L'examen des textes plus proches de notre texte est souvent le plus utile pour son interprétation.

Pour interpréter un texte dans son contexte littéraire, l'exégète a besoin de comprendre l'emplacement logique de ce texte dans le livre biblique dans lequel il se trouve. L'expression que nous interprétons se trouve dans la phrase de Luc 3.15-17. Cette phrase se trouve dans l'épisode décrivant le ministère de Jean-Baptiste (Lc 3.1-20). Etant donné que le récit du ministère de Jean-Baptiste a probablement circulé oralement avant d'être incorporé dans les Evangiles, le message du récit peut probablement être compris et apprécié hors du contexte de l'ensemble du livre.[88] Comprendre comment la phrase de Luc 3.15-17 contribue à la communication du message de cet épisode est la première tâche de l'analyse du texte dans son contexte littéraire. Il faut discerner les unités ou divisions logiques de cet épisode (sections et paragraphes) et comment elles sont logiquement reliées pour communiquer le message de l'épisode.

Les unités logiques de Lc 3.1-20

Comment définir les unités d'un texte ? Chaque unité ou division d'une composition écrite (une phrase, un paragraphe, une section, un épisode, etc.) offre une certaine unité de pensée ou de composition. La tâche de l'exégète est de discerner ces unités de pensées ; où elles commencent et où elles s'arrêtent. La plupart du temps ces unités de pensées ne sont pas indiquées de façon explicite. L'exégète doit chercher les indices dans le texte afin de pouvoir les discerner. La syntaxe grecque aide à déterminer les propositions et les phrases. Les traducteurs et les éditeurs des versions modernes divisent le texte en paragraphes et rédigent parfois des en-têtes pour marquer les épisodes et les grandes divisions d'un livre. Mais ces indications ne sont pas dans le texte original. Les éditeurs les rédigent selon leur compréhension des unités de pensée.

---

[88] Powell, p. 40.

L'entête et les divisions en paragraphes de l'épisode consacré au ministère de Jean-Baptiste dans la Nouvelle Edition de Genève nous semblent corrects. Mais ce n'est pas toujours le cas. Par exemple, la même version signale le commencement de l'épisode du « Sermon sur la montagne » (*sur un plateau* dans le texte) à Luc 6.17 et introduit une autre division par un entête vers la fin du chapitre : « Parabole des deux maisons » (Lc 6.46-49). Mais Luc raconte cette parabole sans rédiger une nouvelle introduction. La phrase de transition entre le sermon et l'épisode suivant se trouve au début du chapitre huit (Lc 8.1). Selon Luc, la parabole des deux maisons fait partie de l'épisode du sermon. Donc, l'exégète doit, lui-même, chercher les indices des unités de pensée.

Nous avons deux manières de déterminer les unités de pensée dans un ouvrage écrit. La première consiste à rechercher les changements d'accent dans l'ouvrage. Nous devons lire attentivement pour discerner à quel endroit l'auteur passe d'un domaine de préoccupation à un autre ; où il passe d'un problème à un autre, ou d'un thème à un autre. La deuxième manière de déterminer les unités de pensée est de discerner comment elles sont reliées pour communiquer la pensée dominante de l'unité plus grande. Ces deux moyens d'identification des unités de pensée travaillent ensemble et en tandem pour se renforcer mutuellement.[89] Les deux pistes de recherche doivent conduire aux mêmes conclusions. Une piste sert à vérifier l'autre. Si vous pensez avoir bien divisé l'épisode en paragraphes et sections, mais si vous ne pouvez pas discerner la logique qui relie ces divisions pour communiquer le message de l'auteur transmis par cet épisode, alors il faut revoir vos divisions. Vous avez probablement créé des divisions qui ne correspondent pas à la pensée de l'auteur. Si vous pensez avoir bien discerné l'enchaînement logique de l'épisode, mais que votre analyse ne correspond pas bien aux divisions en sections et en paragraphes, alors il faut revoir vos conclusions sur la logique du passage.

Prenons l'exemple de l'épisode consacrée au ministère de Jean-Baptiste (Lc 3.1-20). Il faut d'abord justifier qu'il s'agit d'un épisode. Comment le début et la fin de cet épisode sont-ils signalés par l'auteur ? Les premiers versets introduisent le ministère de Jean en précisant son cadre historique :

> *La quinzième année du règne de Tibère César, -lorsque Ponce Pilate était gouverneur de la Judée, Hérode tétrarque de la Galilée, son frère Philippe tétrarque de l'Iturée et du territoire de la Trachonite, Lysanias tétrarque de l'Abilène, ² et du temps des souverains sacrificateurs Anne et Caïphe, -la parole de Dieu fut adressée à Jean, fils de Zacharie, dans le désert.* (Lc 3.1-2)

L'établissement de la période de son ministère par la mention des autorités en fonction suivie par l'affirmation que *la parole de Dieu fut adressée à Jean dans le désert* évoquent l'introduction de plusieurs prophètes dans l'Ancien Testament.[90] On voit un changement net de sujet et de personnage principal entre cette introduction et le résumé de la croissance physique, intellectuelle et spirituelle de Jésus (Lc 2.52).

La fin de cet épisode est plus difficile à discerner, surtout pour ceux qui ont lu les autres Evangiles. Dans les Evangiles selon Matthieu (3.13-17), selon Marc (1.9-11) et selon Jean (1.29-34), Jésus est baptisé par Jean. C'est bien possible que Luc soit au courant de ce fait, mais dans son récit, il raconte l'emprisonnement de Jean avant l'épisode du baptême de Jésus ; et Jean n'est pas mentionné dans l'épisode du baptême de Jésus. Le sujet et les personnages changent. Dans Luc 3.1-20, Luc parle du ministère de Jean. A partir de Luc 3.21, il parle de Jésus. Jean n'entre plus en scène dans son récit. Le narrateur, Jésus et d'autres parleront de lui mais, dans l'Evangile selon Luc, Jean sera en prison jusqu'à son exécution (Lc 9.7-9).

Ayant établi les délimitations de l'épisode consacré au ministère de Jean-Baptiste dans lequel se trouve l'expression à interpréter, nous pouvons procéder à une analyse du contexte littéraire proche. Nous voulons comprendre l'expression *il vous baptisera du Saint-Esprit et de feu* (ὑμᾶς βαπτίσει ἐν πνεύματι ἁγίῳ καὶ πυρί, Lc

---

[89] Voir la discussion de David R. Bauer et Robert A. Traina, *Inductive Bible Study : A Comprehensive Guide to the Practice of Hermeneutics*, Grand Rapids, Baker Academic, 2011, p. 88-94.
[90] Voir les premières lignes de Jérémie, Osée, Michée, Joël, Sophonie, Agée et Zacharie.

3.16) dans le contexte de cet épisode. Pour accomplir ce but, il faut comprendre le fil de la pensée de Luc en discernant les unités logiques (paragraphes et sections) et les relations logiques qui les relient.

Nous avons déjà discerné une relation logique : une introduction. Les deux premiers versets établissent le cadre historique du ministère de Jean et laissent entendre qu'il était un prophète comme ceux de l'Ancien Testament. Nous connaissons le début de l'introduction (Lc 3.1). Il faut maintenant établir la fin. Il faut se demander à quel moment l'introduction de son ministère s'arrête et le récit commence. Le narrateur continue sa description du ministère de Jean jusqu'au verset six. Au verset sept, nous trouvons les premières paroles de Jean. Il semble, donc, que Luc introduit le ministère de Jean dans Luc 3.1-6. Après avoir établi le cadre historique du ministère prophétique de Jean (Lc 3.1-2), il précise le cadre géographique : *il alla dans tout le pays des environs du Jourdain*, et le contenu de sa proclamation : il prêchait *le baptême de repentance, à cause du pardon des péchés* (Lc 3.3). A la fin de cette introduction, Luc affirme que la proclamation de Jean était l'accomplissement d'une prophétie d'Esaïe. Jean prêchait le baptême de repentance : *selon ce qui est écrit dans le livre des paroles d'Esaïe, le prophète : C'est la voix de celui qui crie dans le désert : Préparez...* (Lc 3.4-6/Es 40.3-5). L'emploi d'un verbe de proclamation (crier) et la répétition du lieu du ministère de Jean (*le désert*, Lc 3.2, 4) relient cette citation à la description du ministère de Jean et justifient cette affirmation de Luc.

La deuxième section de cet épisode commence au verset sept où nous lisons les premières paroles de la proclamation de Jean. Il n'y a pas vraiment de changement de sujet au verset sept, mais un changement de voix. De la voix du narrateur qui décrit le ministère de proclamation de Jean, on passe à la voix de Jean lui-même, qui proclame. Pour discerner la fin de cette deuxième section, il semble logique de se demander à quel moment le récit cesse de citer les paroles de Jean. La dernière citation se trouve au verset 17. Du verset 7 au 17 le narrateur intervient seulement pour introduire les paroles de Jean et de ses interlocuteurs. Au verset 18, la voix change de nouveau. Le narrateur reprend la parole pour résumer encore une fois le ministère de proclamation de Jean jusqu'à son emprisonnement par Hérode le tétrarque. La répétition du nom d'Hérode au début et à la fin de l'épisode semble être un autre indice des délimitations.

Ainsi, nous pouvons conclure que l'épisode du ministère de Jean-Baptiste se divise logiquement en trois sections. La section qui raconte la proclamation de Jean est encadrée par deux sections qui résument son ministère. On peut aussi diviser l'introduction et la conclusion, chacune en deux sous-sections. La première sous-section de l'introduction décrit le cadre historique du ministère itinéraire de Jean. La deuxième sous-section de la conclusion décrit le cadre historique de la fin de son ministère itinérant. La deuxième sous-section de l'introduction et la première sous-section de la conclusion résument son ministère de proclamation. Cette structure concentrique est illustrée dans la figure 19.

Figure 19 : La structure concentrique de Luc 3.1-20

    A   L'introduction historique (Hérode le tétrarque)
    B   Le résumé du ministère de Jean
    C   Le ministère de proclamation de Jean
    B' Le résumé du ministère de Jean
    A' La conclusion historique (Hérode le tétrarque)

Analysons maintenant la section centrale : le récit de la proclamation de Jean. Nous voyons quelle peut être divisée en deux ou trois sous-sections. Dans la première sous-section, le narrateur nous informe que les gens *venaient en foule pour être baptisés par lui* (Lc 3.7a). Nous discernons deux sujets importants dans le résumé de la proclamation de Jean (Lc 3.7b-9) : des exhortations à se repentir et des menaces de jugement qui servent de motivation pour la repentance. Deux répétitions sont importantes à signaler : la repentance (Lc 3.3, 8) et les illustrations du jugement par le feu (Lc 3.7, 9). La première illustration des vipères qui fuient *la colère à venir* évoque probablement la réaction des serpents face à un incendie dans la brousse.

La deuxième sous-section est composée des questions suscitées par la prédication de Jean et les réponses que Jean leur donne (Lc 3.10-17). Cette sous-section peut aussi être divisée en deux sous-sections. Premièrement, trois groupes de personnes posent la même question pour préciser ce que Jean veut dire par les *bons fruits* (Lc 3.9) *dignes de la repentance* (Lc 3.8). La foule (Lc 3.10), des publicains (Lc 3.12) et des soldats (Lc 3.14a) demandent : « Que devons-nous faire ? ». Jean répond par des exhortations de type éthique (Lc 3.11, 13, 14b). La dernière question est différente. Le sujet est différent et aussi la manière de la poser. C'est une question que tout le peuple se pose dans leurs cœurs : et si Jean n'était pas le Christ (Lc 3.15) ? La réponse contient une autre illustration du jugement par le feu (Lc 3.17). La répétition du terme « feu » dans l'expression « *il vous baptisera du Saint-Esprit et de feu* » et dans cette illustration est importante (Lc 3.16, 17).

Dans la figure 20, nous résumons cette analyse des unités logiques en attribuant un titre à chaque unité qui représente ou résume sa pensée dominante.

Figure 20 : Les divisions logiques de l'épisode consacré au ministère de Jean-Baptiste

I. L'introduction au ministère de proclamation de Jean-Baptiste
    A. L'introduction historique au ministère de proclamation (Lc 3.1-2)
    B. Le résumé du ministère de proclamation (Lc 3.3-6)
II. La proclamation de Jean-Baptiste (Lc 3.7-17)
    A. Le message sur la repentance : L'appel à la repentance avec des menaces du jugement à venir (Lc 3.7-9)
    B. Les interrogations suscitées par le message de Jean (Lc 3.10-17)
        1. La question sur les fruits dignes de la repentance (Lc 3.10-14)
            a. Posée par la foule (Lc 3.10-11)
            b. Posée par des publicains (Lc 3.12-13)
            c. Posée par des soldats (Lc 3.14)
        2. La question sur l'identité de Jean (Lc 3.15-17)
III. La conclusion du ministère de proclamation de Jean-Baptiste (Lc 3.18-20)
    A. Le résumé du ministère de proclamation (Lc 3.18)
    B. La conclusion historique du ministère de Jean (Lc 3.19-20)

Les liens logiques reliant les unités de Lc 3.1-20

L'analyse d'une relation logique nous a aidé à définir deux grandes sections de cet épisode : l'introduction (Lc 3.1-6) et ce qui est introduit (Lc 3.7-17). Il faut essayer de discerner les autres relations logiques importantes que l'auteur emploie pour communiquer son message dans cet épisode. Nous avons repéré deux résumés dans le passage (Lc 3.3, 18). Le premier résumé aide à introduire le ministère de proclamation de Jean. Jean prêchait *le baptême de repentance*. L'idée de la repentance est reprise et précisée dans la section décrivant la proclamation de Jean. Nous appelons une telle logique : une mise en détail, parce que le résumé de la prédication est raconté en détail dans le passage suivant. Dans cette mise en détail, nous apprenons que la repentance doit produire des fruits chez les personnes qui se repentent (Lc 3.8). Jean ne s'arrête pas à cette exhortation dans sa proclamation de repentance. Il explique la nécessité de la repentance par des menaces de conséquences graves pour les personnes qui ne se repentent pas (Lc 3.7, 9). L'exhortation de produire *des fruits dignes de la repentance* est elle aussi une sorte de résumé, qui sera aussi expliqué en détail lorsque Jean répondra aux questions de ses interlocuteurs (Lc 3.10-14).

Donc, la relation logique entre un résumé et le récit qui précise le sens du résumé est employée pour relier plusieurs unités logiques. L'introduction (Lc 1.1-6) est liée à la proclamation de Jean (Lc 3.7-17) par une mise en détail du sujet de la repentance. Puis, la première section de la proclamation de Jean (Lc 3.7-9) est liée à la deuxième (Lc 3.10-17) par une mise en détail du sens des fruits dignes de la repentance.

Le deuxième résumé (Lc 3.18), constaté dans l'analyse des grandes unités de l'épisode, n'est pas lié à une autre unité de pensée par la même relation logique parce que Luc ne raconte pas ailleurs en détail cette proclamation de la bonne nouvelle mentionnée dans le résumé. C'est la conclusion de cet épisode. Ce n'est pas, non plus, un autre résumé de la proclamation de Lc 3.7-17, parce que Luc précise qu'il s'agit de beaucoup *d'autres* exhortations. La dernière grande section de cet épisode (Lc 3.18-20) est probablement reliée à la section de proclamation par une relation logique de cause à effet. Parce que les conséquences de la non-repentance, soulignées dans l'illustration du vannage (Lc 3.17), sont si graves, Jean continuait à annoncer la bonne nouvelle au peuple avec beaucoup d'autres exhortations. Cette relation est peut-être signalée par la conjonction οὖν en grec qu'on pourrait traduire par « c'est pourquoi » ; ou bien si la combinaison des conjonctions μὲν οὖν καὶ était mieux traduite par une expression de continuation, ce lien logique de cause à effet entre les deux sections serait probablement implicite.

Nous trouvons le même type de logique reliant l'introduction (Lc 3.1-6) à la proclamation de Jean (Lc 3.7-17). Parce que Jean *prêchait le baptême de repentance...selon ce qui est écrit dans le livre des paroles d'Esaïe le prophète...* (Lc 3.3-6), *il disait donc...* (Lc 3.7-17). Nous proposons une autre relation logique de cause à effet entre la première sous-section de la proclamation de Jean où il parle de la repentance (Lc 3.7-9) et la deuxième sous-section, dans laquelle les différents groupes posent des questions. Il semble évident que la proclamation de Jean (Lc 3.7-9) suscite toute la série de questions/réponses dans la deuxième sous-section (Lc 3.10-17).

Le fil de la pensée de l'auteur dans Lc 3.1-20

Ainsi, on peut dire qu'une chaîne de causes à effet décrit le fil de la pensée de l'auteur dans cet épisode. La deuxième sous-section de l'introduction (Lc 3.3-6) est la cause qui engendre la section décrivant la proclamation de Jean (Lc 3.7-17). La première sous-section de cette proclamation (Lc 3.7-9) suscite les questions/réponses dans la deuxième sous-section (Lc 3.10-17). La menace de jugement à la fin de la dernière réponse (Lc 3.17) est la raison pour beaucoup d'autres exhortations (Lc 3.18).

Les liens logiques d'introduction et de mise en détail renforcent ces liens de cause à effet. C'est dans l'introduction que l'auteur résume (Lc 3.3) la proclamation de Jean et qu'il explique la raison (Lc 3.4-6) de ce qu'il proclame (Lc 3.7-17). C'est le besoin de précisions sur le sens de l'exhortation de produire des fruits dignes de la repentance (Lc 3.8), dans la première sous-section de la prédication de Jean (Lc 3.7-9), qui a suscité les questions dans la deuxième sous-section (Lc 3.10-17). Les détails dans les exhortations données à ces questions répondent à ce besoin. Les conséquences graves expliquées dans la réponse à la dernière question (Lc 3.17) sont la motivation pour les autres exhortations résumées dans la conclusion (Lc 3.18). Les précisions sur le cadre historique au début et à la fin de cet épisode (Lc 3.1-2, 19-20) encadrent cet épisode et en établissent les limites. Ayant trouvé des explications cohérentes pour les relations logiques entres les grandes sections et sous-sections de cet épisode, nous sommes convaincu que nos conclusions sur la délimitation de ces divisions sont correctes.

Les liens logiques importants pour comprendre la structure de Lc 3.1-20

Dans la description de la structure et du fil de la pensée de l'auteur, nous avons mentionné plusieurs liens logiques. Une telle description est souvent suffisante pour comprendre un texte dans le contexte d'un épisode. Mais si le sens d'un mot, d'une expression, d'une phrase, etc. est vague ou difficile à discerner, un processus plus élaboré sera peut-être nécessaire. Dans ce processus, nous voulons soigneusement préciser les liens importants pour comprendre la structure de l'épisode et évaluer la pertinence de ces liens pour comprendre le texte difficile. Parfois, il faudra aussi examiner les liens logiques moins importants pour comprendre la structure de l'épisode, mais importants pour comprendre le texte que nous interprétons.

La longueur des sections ou des sous-sections reliées dans un lien logique important pour la structure d'un texte dépend de la longueur du texte. Si le texte est composé de plusieurs chapitres (par ex. une grande division d'un livre), un lien entre deux paragraphes n'est probablement pas important pour comprendre sa structure. Mais, si le texte est composé de quelques paragraphes (par ex. un épisode), un lien entre deux paragraphes est probablement important. Un lien important pour comprendre la structure d'un épisode est souvent un lien entre au moins deux sections ou sous-sections de l'épisode, souvent entre deux paragraphes ou deux groupes de paragraphes. Mais si le lien important est la récurrence d'un terme, d'une phrase ou d'une relation logique, on trouvera une répétition dans plusieurs sections ou sous-sections de l'épisode. L'ensemble des liens importants servent à décrire le fil de la pensée de l'auteur. Dans un processus plus élaboré, la description de chaque lien doit préciser les unités de texte reliées, le type de logique qui les relie, et suffisamment de détails pour convaincre votre lecteur que ce lien logique existe entre les unités que vous avez précisées, et qu'il est important pour comprendre la structure.

Tous les liens importants pour comprendre le fil de la pensée ne sont pas forcément importants pour comprendre l'expression : *il vous baptisera du Saint-Esprit et de feu*. Mais il faut comprendre le fil de la pensée de l'épisode pour comprendre pourquoi l'expression s'y trouve. Il faut aussi savoir que tous les liens logiques importants pour comprendre l'expression ne sont pas forcément importants pour comprendre la structure de l'épisode. Ainsi, nous présenterons deux listes de liens logiques : ceux qui sont importants pour comprendre la structure de l'épisode, et ceux qui ne sont pas dans cette première liste, mais qui sont importants pour comprendre l'expression.

1. *L'introduction :* Luc emploie 6 versets (Lc 3.1-6) pour introduire le ministère de Jean-Baptiste (Lc 3.7-20), dans laquelle il précise :
    a. Le cadre historique de son ministère en mentionnant les autorités politiques (Lc 3.1) et religieuses (3.2a) en fonction au moment de son appel au ministère.
    b. L'appel au ministère prophétique par une révélation de Dieu (3.2b).
    c. Le nom de l'appelé et le nom de son père (3.2b).
    d. Le lieu de son appel (3.2b)
    e. Le lieu de son ministère itinérant (3.3a)
    f. Un résumé du contenu de sa proclamation (3.3b).
    g. Une description de son ministère tirée d'Esaïe 40.3-5 (3.4-6). (Deux autres liens logiques sont associés à cette introduction : une mise en détail et un lien de cause à effet.

2. *La mise en détail du ministère de Jean :* Dans l'introduction, Luc décrit brièvement le ministère de Jean : « il alla dans tout le pays des environs de Jourdain, *prêchant le baptême de repentance*, à cause du pardon des péchés » (Lc 3.3a). Dans la suite du récit, Luc raconte en détail ce que Jean prêchait à ceux qui venaient pour être baptisés. Dans ses exhortations, il souligne la motivation pour la repentance (Lc 3.7-9 ; 15-17) et précise ce qu'il veut dire par la repentance (Lc 3.10-14).

3. *Le mouvement de cause à effet entre l'introduction et la proclamation :* Jean donne ses exhortations *à ceux qui venaient en foule pour être baptisés par lui* (Lc 3.7-17) parce que (voir la conjonction *donc*, Lc 3.7) *la parole de Dieu fut adressée* à Jean (Lc 3.2) et parce qu'il est la voix qui crie dans le désert, *prêchant le baptême de repentance* (Lc 3.3), pour préparer la voie du Seigneur selon la prophétie d'Esaïe (Lc 3.4-6 ; Es 40.3-5).

4. *La récurrence du mouvement de cause à effet entre les menaces du jugement eschatologique et les exhortations à la repentance :*
    a. Fuir la colère à venir (3.7) → Produisez donc les fruits de la repentance (3.8)

    b.   Tout arbre qui ne produit pas de bons fruits sera jeté au feu (3.9) → Que devons-nous donc faire ? (3.10) partager les biens (3.11), n'exiger rien au-delà de ce qui est ordonné (3.13), ne commettre ni extorsion ni fraude (3.14)

    c.   Il amassera le blé dans son grenier et brûlera la paille dans un feu qui ne s'éteint pas (3.16-17) → *Jean annonçait la bonne nouvelle au peuple en lui adressant encore beaucoup d'autres exhortations* (3.18)

5. *La mise en détail des fruits de la repentance :* Dans le premier paragraphe décrivant la prédication de Jean (Lc 3.7-9), il exhorte ses auditeurs à produire *des fruits dignes de la repentance* (Lc 3.8). Dans le paragraphe suivant, il décrit en détail le comportement nécessaire pour différents groupes de personnes qui correspondent à ces fruits de la repentance (Lc 3.10-14).

6. *La récurrence d'interrogation au sujet du ministère de Jean :* La deuxième section qui décrit le ministère de proclamation de Jean est une série de questions, chacune suivie de la réponse de Jean.

    a.   Trois groupes (la foule, les publicains et les soldats) posent la même question : *Que devons-nous faire ?* (3.10, 12, 14a). Jean répond chaque fois en décrivant une conduite digne de la repentance (3.11, 13, 14b).

    b.   Le peuple s'interroge, *si Jean n'était pas le Christ* (3.15). Jean répond en précisant l'activité future du Christ (3.16-17).

7. *Le lien du chiasme avec une inclusio* sert à encadrer la prédication de Jean-Baptiste. L'introduction et la clôture abordent les mêmes sujets dans l'ordre inverse selon le schéma suivant :

    A   L'introduction historique (Lc 3.1-2, Hérode le tétrarque mentionné)

    B   Le résumé du ministère de Jean (Lc 3.3-6)

    C   Le ministère de proclamation de Jean (Lc 3.7-17)

    B′   Le résumé du ministère de Jean (Lc 3.18)

    A′   La conclusion historique (Lc 3.19-20, Hérode le tétrarque mentionné)

Liens logiques importants pour comprendre : il vous baptisera du Saint-Esprit et de feu

D'autres relations logiques sont moins importantes pour comprendre la structure de cet épisode, parce qu'elles ne relient pas les grandes sections ou sous-sections. Mais elles sont importantes pour comprendre l'expression : *il vous baptisera du Saint-Esprit et de feu.*

1. Le contraste entre le baptême de Jean et le baptême de Jésus : le baptême de Jésus - *il vous baptisera du Saint-Esprit et de feu* (Lc 3.16b) - est présenté en contraste avec le baptême de Jean -*je vous baptise d'eau* (Lc 3.16a). Donc, le sens que nous attribuons à l'expression doit souligner la différence.

2. La récurrence des métaphores de feu pour illustrer le jugement dernier. La proclamation de Jean est caractérisée par une répétition de menaces en utilisant des métaphores illustrant le jugement dernier qui mentionnent le feu ou y font allusion : les vipères qui fuient la colère à venir (Lc 3.7), les arbres infructueux qui seront jetés au feu (Lc 3.9), et la paille qui sera brûlée dans un feu qui ne s'éteint pas (Lc 3.17). L'expression décrivant le baptême administré par Jésus utilise aussi une métaphore qui mentionne le feu (Lc 3.16).

Le tableau récapitulatif

Nous trouvons utile de visualiser dans un tableau les divisions d'un texte et les relations logiques qui les relient. Le tableau récapitulatif du survol de Luc 3.1-20 à la page suivante nous aide à voir en même temps l'ensemble de la structure du texte.

Figure 21 : Tableau récapitulatif du ministère de Jean-Baptiste (Luc 3.1-20)

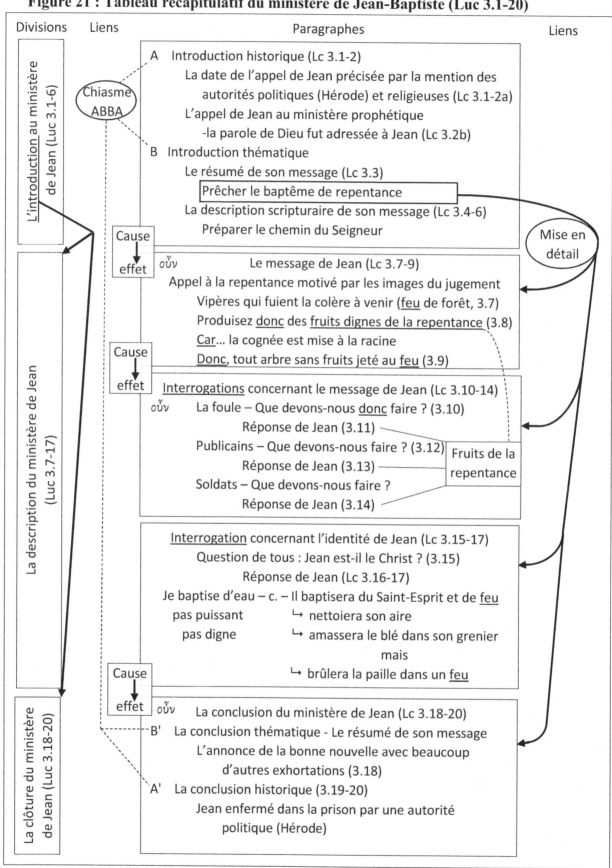

Les questions d'interprétation basées sur les liens logiques

Comment pouvons-nous nous servir des liens logiques de composition pour nous aider à interpréter l'expression « baptiser du Saint-Esprit et de feu » dans le contexte de l'épisode consacré au ministère de Jean ? L'interprétation d'une expression dans son contexte exige une compréhension du fil de la pensée de l'auteur dans ce contexte et du rôle joué par l'expression dans le déroulement de sa pensée. Par une analyse des liens logiques reliant les sections et sous-sections de l'épisode, nous avons essayé de décrire le fil de la pensée de Luc dans ce passage. Si nous avons bien compris, la logique du passage fournira des indices pour mieux comprendre l'expression que nous essayons d'interpréter.

Pour répondre à notre question d'exégèse, il faut discerner lesquels de ces liens sont pertinents pour discerner le sens de l'expression *il vous baptisera du Saint-Esprit et de feu*. Tous les liens qui expliquent l'articulation de ce passage peuvent éventuellement être utiles pour la comprendre. Il faut examiner comment l'expression *il vous baptisera du Saint-Esprit et de feu* est liée aux éléments dans les différentes unités logiques de l'épisode pour en tirer des inférences.

Etant donné que les liens logiques relient au moins deux unités de texte, nous examinerons la pertinence des liens dont une des unités contient l'expression *il vous baptisera du Saint-Esprit et de feu*. Pour chacun de ces liens, nous voulons proposer des questions basées sur la logique du lien dont la réponse peut éventuellement nous conduire à une meilleure interprétation de l'expression. Il faut essayer de répondre aux questions proposées en examinant les indices fournis par le contexte.

L'introduction

L'expression « baptiser du Saint-Esprit et de feu » se trouve dans l'unité de texte introduite par Luc (3.7-17). Quels sont les détails dans l'introduction (3.1-6) qui peuvent éclairer le sens de cette expression ? Comment l'information dans l'introduction prépare-t-elle l'annonce que le Messie baptisera du Saint-Esprit et de feu ? Comment cette information peut-elle nous aider à interpréter cette expression ?

Réponses possibles : Nous constatons trois éléments dans l'introduction qui peuvent éclairer le sens de l'expression « baptiser du Saint-Esprit et de feu ».

1. Luc introduit le personnage de Jean de manière à évoquer l'appel des prophètes dans l'Ancien Testament. Il précise l'époque de l'appel de Jean en citant le nom des autorités qui régnaient au moment où Jean a reçu son appel (Lc 3.1-2a), et il décrit l'appel d'une manière typique : « la parole de Dieu fut adressée à Jean » (Lc 3.2b), selon le modèle de l'introduction de plusieurs prophètes dans l'Ancien Testament (cf. Jér 1.1-3 ; Os 1.1 ; Mi 1.1 ; Soph 1.1 ; Ag 1.1 ; Zach 1.1). L'introduction de Jean, en tant que prophète, prépare le lecteur à comprendre l'annonce du futur ministère du Messie - « il vous baptisera du Saint-Esprit et de feu », comme une prophétie - et à anticiper l'accomplissement de cette prophétie.

2. Luc résume le ministère de Jean dans cette introduction. Nous parlerons de cet élément dans la discussion consacrée à la mise en détail du ministère de proclamation de Jean.

3. Luc précise, dans son introduction, que Jean a exercé son ministère de proclamation selon les paroles d'Esaïe 40.3-5, une prophétie anticipant la venue du Messie et le salut qu'il effectuera (Lc 3.4-6). La première partie de cette prophétie souligne le rôle de la personne (Jean) qui annonce la venue du Messie. La dernière phrase souligne la visibilité de l'œuvre que le Messie accomplira. La phrase contenant l'expression « baptiser du Saint-Esprit et de feu » aborde la question du Messie. La foule se demande si Jean n'était pas le Christ (le Messie). Dans sa réponse, Jean affirme qu'il n'est pas le Messie et que le Messie, qui est plus fort et plus digne que lui, baptisera du Saint-Esprit et de feu. L'expression parle de ce que le Messie accomplira. Donc, l'affirmation dans l'introduction que toute chair verra le salut de Dieu peut introduire et anticiper cette description. Ainsi, l'expression *il vous baptisera du Saint-Esprit et de feu* peut être une métaphore décrivant

un ou plusieurs aspects du salut de Dieu. Luc peut vouloir évoquer le pardon des péchés déjà mentionné dans le résumé (3.3). Le vocabulaire du salut est aussi utilisé dans les prophéties au début de l'Evangile pour parler du « Sauveur qui nous délivre (sauve) de nos ennemis » (Lc 1.71). Cet aspect du salut correspond à l'image du vannage (Lc 3.17) utilisée pour préciser celui qui baptise « du Saint-Esprit et de feu ».

La mise en détail du ministère de Jean

Dans l'introduction, Luc résume le ministère de proclamation de Jean-Baptiste : *il alla dans tout le pays des environs du Jourdain, prêchant le baptême de repentance, à cause du pardon des péchés »* (Lc 3.3). L'expression « baptiser du Saint-Esprit et de feu » se trouve dans l'unité du texte où cet énoncé général est raconté en détail (3.7-17). Quels sont le ou les éléments dans l'énoncé général qui peuvent résumer l'expression « baptiser du Saint-Esprit et de feu » ? Comment ce résumé peut-il éclairer le sens de cette expression ?

Réponses possibles : L'énoncé général dans l'introduction qui résume le ministère de Jean est :

1. Le mouvement géographique ne résume pas l'expression.

2. Le baptême de repentance est un bon résumé du baptême de Jean avec de l'eau. Le baptême de Jésus est présenté en contraste avec ce baptême. Donc, un baptême de repentance ne résume probablement pas l'expression.

3. Il est concevable que le pardon des péchés résume le baptême de Jésus, mais c'est une supposition sans indice dans le contexte de cet épisode pour la soutenir.

4. La prédication de repentance est le seul élément dans ce résumé du ministère de Jean qui peut raisonnablement être considéré comme un résumé du baptême du Messie. Etant donné que Jean utilisait des images du jugement pour motiver le peuple à se repentir, il est concevable que cette expression soit aussi une image du jugement.

Le mouvement de cause à effet entre l'introduction et le message de Jean

Dans l'introduction (3.3b-6), Luc donne la raison pour laquelle Jean annonce son message. La conjonction « donc » au verset 7 peut signaler un mouvement de cause à effet entre ce qui précède et le paragraphe suivant (Lc 3.7-9) ou l'ensemble de sa prédication (3.7-17). Quels éléments dans l'introduction peuvent donner une raison pour raconter le paragraphe consacré à la question sur l'identité de Jean dans lequel se trouve la description de l'action future du Messie : *il vous baptisera du Saint-Esprit et de feu* ? Comment cette information peut-elle éclairer le sens de cette expression ?

Réponses possibles :

1. La discussion sur la prophétie d'Esaïe citée dans l'introduction est aussi appropriée ici. Luc affirme que Jean a prêché le baptême de repentance pour le pardon des péchés *selon* cette prophétie messianique d'Esaïe (Lc 3.4). Le « donc » au début du verset 7 affirme que ce qui suit est la preuve que Jean prêchait selon cette prophétie. La prophétie parle de l'annonce de la venue du Messie (Lc 3.4-5) et du salut qu'il effectuera (Lc 3.6). Les deux prochains paragraphes correspondent à l'annonce de la venue du Messie (Lc 3.7-14) et le troisième paragraphe au salut qu'il va effectuer (Lc 3.15-17). Le même avertissement pour le terme « salut » est valable ici. Le salut envisagé dans le texte original d'Esaïe (40.3-5) et dans la prédication de Jean était probablement une délivrance du peuple de Dieu de ses ennemis (Lc 3.6, 16-17).

2. Du fait que le texte d'Esaïe cité par Luc (Lc 3.6) parle du salut et non du jugement souligne l'aspect positif de la future intervention du Messie. La répétition des menaces dans la péricope semble souligner l'aspect négatif. Mais l'emploi du terme « salut » semble signaler qu'il faut donner une plus grande importance au sort du blé qui est amassé dans le grenier qu'à la paille qui est brûlée dans un feu qui ne s'éteint pas (Lc 3.17).

C'est peut-être pourquoi Luc parle de la bonne nouvelle que Jean annonçait au peuple dans le résumé de la clôture (Lc 3.18).

La récurrence du mouvement de cause à effet entre les menaces du jugement et les exhortations à la repentance

Ce schéma des menaces du jugement qui servent de motivation pour les exhortations à la repentance domine la description du message de Jean du début (3.7) à la fin (3.17-18). L'expression : *il vous baptisera du Saint-Esprit et de feu* se trouve dans la phrase qui précède la dernière description des exhortations de Jean. Selon l'analyse de la syntaxe, cette expression est étroitement liée à l'illustration du vannage (Lc 3.17). La menace du jugement dans l'illustration de vannage décrit le baptiseur du Saint-Esprit et de feu. Comment ce lien peut-il en éclairer le sens ? Quels éléments dans l'unité de l'effet (Lc 3.18) sont utiles pour éclairer le sens de notre expression ?

Réponse possible :

L'effet est la proclamation de la bonne nouvelle au peuple en lui adressant beaucoup d'autres exhortations. Etant donné que les exhortations jusqu'ici dans cet épisode sont des exhortations à la repentance (Lc 3.8, 11, 13, 14), nous pouvons supposer que les exhortations résumées au verset 18 sont aussi des exhortations à la repentance. Deux éléments dans l'effet (Lc 3.18) sont utiles pour éclairer le sens de notre expression : les exhortations et l'annonce de la bonne nouvelle. L'annonce de la bonne nouvelle et les exhortations semblent être le résultat de la menace de jugement par le feu (Lc 3.16-17). Il y a un contraste entre deux sorts dans cette menace. Le blé sera séparé de la paille et amassé dans le grenier. La paille sera brûlée dans un feu qui ne s'éteint pas. Il y a probablement un contraste semblable entre l'aspect négatif des exhortations et l'annonce de la bonne nouvelle au verset 18. Pour les personnes qui écoutent ces exhortations et se repentent, la nouvelle est bonne. Ils ne seront pas brûlés dans un feu qui ne s'éteint pas ; ils seront amassés dans le grenier de Dieu. Si, par l'expression : *il vous baptisera du Saint-Esprit et du feu*, Jean exhorte les foules à se repentir en les menaçant d'un jugement qui sera effectué par le Souffle de Dieu et un feu qui ne s'éteint pas, cette exhortation convient au fil de la pensée exprimé par cette récurrence.

La récurrence d'images du jugement par le feu qui justifient et motivent la prédication de la repentance

Comment la répétition du terme « feu » dans l'expression : *il vous baptisera du Saint-Esprit et de feu* est-elle liée aux autres emplois du même terme dans le même épisode ? Comment cette répétition peut-elle nous aider à discerner le sens de l'expression ?

Réponse possible :

Le terme « feu » (πῦρ) est répété 3 fois dans l'épisode consacré au ministère de Jean-Baptiste (Lc 3.1-20). Dans Luc 3.9, Jean avertit ses auditeurs que *tout arbre...qui ne produit pas de bons fruits sera coupé et jeté au feu*. Les arbres dans cette métaphore correspondent aux personnes qui ne produisent pas des fruits dignes de la repentance. Jean utilise aussi le terme « feu » dans la métaphore du vannage. La paille est séparée du blé et jetée dans un feu qui ne s'éteint pas (Lc 3.17). La 3ème répétition se trouve dans l'expression : *il vous baptisera du Saint-Esprit et de feu*. La répétition du même terme dans le même épisode soutient la conclusion tirée dans l'examen de la syntaxe. Le terme « feu » dans l'expression se réfère probablement au jugement eschatologique comme les deux autres répétitions dans le même épisode.

Une autre métaphore évoque la destruction par le feu dans cet épisode. Lorsque Jean appelle ses auditeurs une race de vipères et leur demande qui leur *a appris à fuir la colère à venir*, il évoque l'idée d'un feu de brousse qui fait fuir les serpents. Si notre interprétation de l'expression : *il vous baptisera du Saint-Esprit et de feu* est correcte, toutes les métaphores employées par Jean dans sa prédication font allusion au jugement eschatologique par le feu.

Etant donné que le thème du besoin de repentance en raison du jugement eschatologique imminent domine tout le message de Jean avant et après l'emploi de l'expression énigmatique *il vous baptisera du Saint-Esprit et de feu,* il semble raisonnable de supposer que cette expression exprime la même idée. La conclusion que l'expression est une référence au jugement eschatologique donne cohérence au message de Jean. Si nous avons raison, Jean n'a pas changé de sujet dans ce passage. Il parle du début jusqu'à la fin de la nécessité de repentance en vue du jugement eschatologique imminent. Si toutes les images parlant d'événements futurs mentionnent ou font allusion à un feu, et si trois de ces images font allusion au jugement eschatologique, il semble logique que la quatrième image fasse aussi allusion à ce même jugement.

La récurrence d'interrogation

L'expression « baptiser du Saint-Esprit et de feu » se trouve dans l'unité de texte de la réponse (3.16-17) à la question posée dans 3.15 : Jean n'était-il pas le Christ ? Comment cette question et l'ensemble de la réponse contenant l'expression *il vous baptisera du Saint-Esprit et de feu* peuvent-elles en éclairer le sens ?

Réponse possible :

Dans Luc 3.16-17, Jean répond à la question que tous se posaient dans leur cœur, savoir si Jean n'était pas le Christ (Lc 3.15). Dans le même verset, Luc précise que le peuple était dans l'attente, une expression qui évoque l'attente messianique. La réponse de Jean concerne les attentes du peuple de la venue du Messie. Cette phrase correspond à la prophétie messianique que Luc a déjà citée (Lc 3.4-6 ; cf. Es 40.3-5). Tous ces indices nous renvoient au contexte historique pour mieux comprendre la question et la réponse. Quelles étaient les attentes du Messie au premier siècle ? Normalement, la réponse de Jean devait correspondre à une attente messianique de l'époque. Si non, ses auditeurs ne l'auraient pas comprise. Nous aborderons cette question dans les chapitres consacrés aux contextes intertextuel et historique.

Le contraste

Le baptême administré par Jean : ἐγὼ μὲν ὕδατι βαπτίζω ὑμᾶς (Moi, d'un côté, je vous baptise avec de l'eau, Lc 3.16a), est présenté en contraste avec le baptême administré par Jésus : δὲ … αὐτὸς ὑμᾶς βαπτίσει ἐν πνεύματι ἁγίῳ καὶ πυρί (mais, de l'autre côté, lui, il vous baptisera avec l'Esprit Saint et du feu, Lc 3.16b). Donc, le sens de l'expression doit souligner un contraste entre les deux baptêmes. Quel sens, attribué à l'expression : *il vous baptisera du Saint-Esprit et de feu,* est approprié à ce contraste entre les deux baptêmes ?

Réponses possibles :

1. Alfred Kuen pense que la différence se trouve entre le baptême de Jean qui annonce et prépare pour l'œuvre du salut, et le baptême de Jésus qui est l'œuvre du salut. La différence est dans la supériorité du baptême de Jésus.[91] Au lieu de souligner le contraste, Kuen pense que Jean souligne le parallèle entre le ministère de Jésus et le sien.[92] Il trouve un bon nombre de textes dans l'Ancien Testament qui parlent de la purification, du pardon des péchés et du salut, et affirme que : « Ces textes étaient connus des Juifs et les aident à comprendre à la fois la signification du baptême de Jean et sa prophétie ». Kuen accepte que le feu « représente… un jugement, mais le jugement bienfaisant qui accompagne la sanctification et complète le salut ».[93] Les arguments de Kuen privilégient les intertextes supposés de l'Ancien Testament plus que le contexte littéraire de l'épisode.

2. D'autres pensent que la promesse d'un baptême avec l'Esprit Saint et le feu anticipe la réalisation de cette promesse dans Actes 2.1-4. Donc, la différence se trouverait entre le rite d'initiation inauguré par Jean baptiste représentant la nouvelle naissance et une dotation de l'Esprit pour accomplir l'œuvre de Dieu. Cette interprétation a l'avantage de s'accorder avec le sens vraisemblable des autres répétitions de « baptiser avec

---

[91] Voir les explications de Kuen, p. 63-72.
[92] Ibid., p. 65.
[93] Ibid., p. 71.

le Saint-Esprit » dans l'œuvre de Luc. L'expression dans Actes 1.5 anticipe cette expérience et Actes 11.16 la rappelle. C'est le sens qui nous semblait correct avant d'examiner le contexte littéraire proche en détail. Si cette interprétation était correcte, il faudrait expliquer pourquoi Jésus a laissé tomber l'élément du feu (Ac 1.5), et pourquoi Luc a changé de métaphore pour décrire l'expérience. Au lieu d'écrire qu'ils « furent tous baptisés du Saint-Esprit », Luc écrit : *ils furent tous remplis du Saint-Esprit* (Ac 2.4).

Le plus grand problème avec cette interprétation est qu'elle ne s'accorde pas au contexte littéraire proche. L'introduction de cette idée dans la prédication de Jean semble hors contexte. Jean aurait-il, dans la même phrase, inséré l'image d'une bénédiction spirituelle pour ses disciples dans un épisode où toutes les autres images évoquent une malédiction pour les auditeurs à qui il s'adresse, et en même temps repris une autre image de malédiction ? Aurait-il fait cela en employant une expression inconnue sans l'expliquer ? Ses auditeurs n'auraient pas compris.

3. Le sens de la métaphore du baptême avec l'Esprit Saint et du feu qui correspond le mieux au contexte, et qui souligne bien le contraste entre les deux baptêmes, est le sens du jugement eschatologique communiqué par Jean dans les autres métaphores de cet épisode. Le baptême de repentance administré par Jean prépare ses auditeurs pour le jugement à venir, le baptême de Jésus avec l'Esprit Saint et du feu est le jugement à venir.

Conseils pour la rédaction d'une dissertation exégétique

Il faut encore souligner la différence entre les explications du processus logique pour acquérir des connaissances du fil de la pensée de l'auteur, et une présentation de l'articulation de ses pensées et de ses arguments. On a besoin de comprendre le fil de la pensée dans un épisode pour interpréter un des éléments dans cet épisode. Le lecteur d'une dissertation exégétique n'a pas besoin de comprendre tout le processus que vous avez suivi pour acquérir cette connaissance. Il faut simplement le convaincre par des arguments logiques tirés de l'épisode que votre interprétation est cohérente et vraisemblable. Dans une dissertation exégétique, nous ne voulons pas donner toutes les explications. Nous voulons décrire le fil de la pensée de l'auteur en indiquant comment il effectue la transition d'une idée à une autre et montrer comment cette connaissance nous aide à répondre à notre question exégétique.

Dans une telle description, il ne faut pas utiliser des termes techniques que vos lecteurs ne sauront comprendre sans une longue explication. Plusieurs liens logiques de composition présentés dans ce chapitre ne font pas partie du langage commun de tous vos lecteurs. Nous les avons présentés et définis afin de préciser avec soin l'articulation logique du passage. Dans une dissertation exégétique, il faut trouver un langage courant pour décrire les mêmes données, si on veut que les lecteurs comprennent. Par exemple, une grande majorité de lecteurs ne comprendront pas l'expression de « la mise en détail ». Ils peuvent probablement arriver à la comprendre en examinant le contexte de votre emploi de l'expression. Mais ils peuvent plus facilement comprendre si vous écrivez que l'auteur a résumé ce qu'il voulait communiquer avant de donner des explications détaillées. La récurrence d'interrogation peut être mal comprise. Le lecteur habitué aux films d'espionnage peut imaginer des interrogations répétées d'un espion par le KGB. Mais on peut simplement parler de la manière de Luc de décrire l'enseignement de Jean-Baptiste en donnant une série de questions posées par ses auditeurs suivies de la réponse que Jean a donnée à chaque question. Puis, on peut signaler que la proposition « il vous baptisera du Saint-Esprit et de feu » se trouve dans une de ces réponses et qu'il faut comprendre comment cette proposition répond à la question de savoir si Jean n'était pas le Christ.

Exercices :

13.1.1 Décrivez l'articulation logique entre les trois paragraphes d'Ac 1.1-11 (1.1-3, 4-8 et 9-11)[94] en précisant le ou les liens logiques qui relient ces paragraphes. Il faut nommer et décrire les liens de composition que l'auteur a utilisés pour organiser ces unités de texte en donnant des références bibliques pour chaque détail.

13.1.2 Décrivez l'articulation logique entre les propositions et les phrases du deuxième paragraphe (1.4-8) en précisant les liens logiques qui les relient. Il faut suivre le modèle de la figure 9 (p. 40-42).

13.1.3 Choisissez des liens de composition pertinents pour l'interprétation de la proposition *vous serez baptisés du Saint-Esprit* (Ac 1.5) des exercices 13.1.1 et 13.1.2 et formulez des questions pour chaque lien pertinent qui vous aidera à interpréter cette proposition dans son contexte littéraire proche.

13.1.4 Faites des observations et inférences en répondant aux questions formulées dans l'exercice 13.1.3 dans le but de discerner le sens de la proposition *vous serez baptisés du Saint-Esprit* (1.5) dans son contexte. Comparez ce sens avec celui de la même expression dans la bouche de Jean-Baptiste.

13.1.5 Lisez *Bouleversé par l'Esprit,* p. 45-50, et remarquez comment une description de l'articulation logique de l'épisode de Luc 3.1-20 aide à définir le sens de la proposition *il vous baptisera du Saint-Esprit et de feu* (Lc 3.16). Remarquez aussi la brièveté de cette description et la manière d'insérer un argument de vocabulaire dans cette description.

13.18.1 Décrivez l'articulation logique entre la description d'Apollos (Ac 18.24) et son activité dans la synagogue (Ac 18.25a) en proposant les liens logiques possibles qui les relient.

13.18.2 Pour chaque proposition de lien logique de l'exercice 13.18.1 formulez des questions qui peuvent vous aider à interpréter les propositions suivantes : ζέων τῷ πνεύματι ἐλάλει καὶ ἐδίδασκεν ἀκριβῶς τὰ περὶ τοῦ Ἰησου (Ac 18.25), et ἤρξατο παρρησιάζεσθαι ἐν τῇ συναγωγῇ (Ac 18.26).

13.18.3 Faites des observations et inférences en répondant aux questions formulées dans l'exercice 13.18.2 dans le but de discerner le sens de ces deux propositions.

---

[94] La ponctuation à la fin du verset 3 est ambigüe. Ce problème vient de la compréhension de la conjonction καὶ au début du verset 4. Elle peut coordonner deux propositions dans une même phrase (NA) ou indiquer simplement une continuation (WHT, SCR, BYZ). Nestlé-Aland met un point-virgule à la fin du verset 3. Westcott et Hort, Scrivener et le texte byzantin de Robinson-Pierpont mettent un point final. Le diagramme de Leedy suit le texte de Nestlé-Aland. Nous pensons que le verset 4 est le commencement d'un nouveau paragraphe. Voir aussi les explications sur le diagramme d'Ac 1.4-5 dans l'annexe, p. 111.

Chapitre 14

Le contexte littéraire large

Le contexte littéraire proche, c'est-à-dire l'épisode consacré au ministère de Jean-Baptiste, est le contexte le plus important pour interpréter le sens de l'expression : *il vous baptisera du Saint-Esprit et de feu*. Mais l'exégèse d'une expression doit aussi prendre en considération le rôle joué par cette expression dans l'ensemble du livre. Nous avons besoin de comprendre pourquoi l'auteur a utilisé cette expression dans cet épisode au début du premier volume de Luc-Actes. Une étude du vocabulaire dans cet épisode révèle que Jean-Baptiste aborde certains thèmes qui deviennent importants dans le développement de l'ensemble de l'œuvre. La voie que Jean devait préparer (Lc 3.4) devient le terme utilisé pour décrire le mouvement engendré par les disciples de Jésus (Ac 9.2 ; 16.17 ; 18.25-26 ; 22.4, etc.). La prédication de la repentance anticipée par Jésus (Lc 24.47), et prêchée par Pierre (Ac 2.38), ressemble à la proclamation de Jean (Lc 3.3). Le baptême de Jean en vue du pardon des péchés semble être adopté par les disciples comme le rite d'initiation pour les nouveaux membres de la communauté des croyants (Ac 2.38, 41 ; 8.12, 38 ; 9.18 ; 10.47-48, etc.). Depuis la Pentecôte ce rite est administré au nom de Jésus (Ac 2.38 ; 8.16 ; 19.5). L'œuvre de l'Esprit, évoquée dans l'expression énigmatique de Jean, est un sujet important dans l'Evangile selon Luc[95] et un thème essentiel pour comprendre les Actes des apôtres.[96] Une partie de l'expression, « baptiser du Saint-Esprit », est répétée deux autres fois dans les Actes des apôtres (1.5 ; 11.16). La répétition des thèmes, et d'une partie de la même expression, montre que d'autres passages du livre sont logiquement liés à notre texte et seront importants pour son interprétation.

Un examen des versets contenant une répétition d'un de ces thèmes ne suffit pas pour comprendre le rôle joué par ce thème dans l'ensemble du livre, même si l'on examine chaque répétition dans son contexte littéraire proche. Il faut discerner comment ce thème contribue à la stratégie de l'auteur pour communiquer son message. Un examen de toutes les références mentionnant l'œuvre de l'Esprit révélera l'importance du thème. Une analyse de toutes ces références pourrait aussi conduire à la découverte de certaines activités de l'Esprit que Luc considère comme importantes pour l'exposition du sujet dans son ouvrage. On apprendra, par exemple, que beaucoup de personnages dans Luc-Actes font une expérience avec l'Esprit de Dieu et que Luc utilise beaucoup d'expressions pour décrire les mêmes expériences : l'Esprit vient ou descend sur des individus et des groupes (Lc 1.35 ; 2.25 ; 3.22 ; 4.18 ; Ac 1.8 ; 2.17 ; 11.15 ; 19.6) ; les mêmes personnes sont baptisées (Ac 1.5), remplies (Ac 2.4) et ointes (Ac 2.17) de l'Esprit. Plus tard, elles sont de nouveaux remplies (Ac 4.31). Ces expériences avec l'Esprit sont associées à

---

[95] Lc 1.15, 17, 35, 41, 67 ; 2.25-27 ; 3.16,22 ; 4.1, 14, 18 ; 11.13
[96] Ac 1.2, 5, 8 ; 2.4, 17-18, 33, 38 ; 4.8, 25, 31 ; 5.3, 9, 32 ; 6.3, 5 ; 7.51, 55 ; 8.15, 17-19, 29, 39 ; 9.17, 31 ; 10.19, 38, 45, 47 ; 11.12, 15-16, 24, 28 ; 13.2, 4, 9, 52 ; 15.28 ; 16.6-7 ; 18.25 ; 19.2, 6, 21 ; 20.23, 28 ; 21.4, 11 ; 28.25

une dotation de puissance les rendant capables de faire des choses phénoménales (Lc 1.35 ; 4.18-19 ; Ac 2.4,17-18), et de témoigner et d'annoncer la parole de Dieu avec assurance (Lc 4.18 ; Ac 1.8 ; 2.14-39 ; 4.31).

Mais si nous cherchons à connaître le rôle joué par l'Esprit dans la communication du message de Luc, nous devons acquérir une connaissance globale des aspects différents de son message et de la manière dont ces facettes sont logiquement reliées. L'acquisition d'une telle connaissance semble presqu'inabordable à propos d'une œuvre contenant 52 chapitres et occupant un quart du Nouveau Testament. Où faut-il commencer ? Comment procéder ?

Comment examiner le contexte large

Etant donné la longueur du contexte large de Luc-Actes, il faut essayer de discerner les textes qui sont les plus utiles pour comprendre l'expression de Jean. La piste qui semble la plus prometteuse est un examen des répétitions d'une partie de l'expression : baptisés du Saint-Esprit (Ac 1.5 ; 11.16). Nous avons déjà examiné ces expressions dans leurs contextes dans les chapitres consacrés à l'étude du vocabulaire. Si nous avons bien analysé le contexte de ces répétitions, l'expression partielle utilisée par Jésus n'a pas le même sens que l'expression complète énoncée par Jean. Si nous voulons expliquer cette énigme, nous serons obligés de suivre d'autres pistes. La répétition des thèmes de Jean dans l'œuvre de Luc pourrait en suggérer d'autres. Nous avons déjà examiné la répétition du thème du baptême sans résoudre l'énigme de ces deux sens. Deux autres pistes nous semblent particulièrement intéressantes : une analyse du thème de l'œuvre de l'Esprit et une analyse des rappels du ministère de Jean. Les répétitions du thème de l'Esprit sont si nombreuses qu'elles suggèrent un rôle important pour l'Esprit dans la communication du message de Luc. La répétition du contraste entre les baptêmes de Jean et de Jésus suggère que le contraste entre ces individus est important dans le récit.

Mais, comme pour le thème de l'activité de l'Esprit et pour la répétition d'une partie de l'expression de Jean, si nous voulons saisir le rôle joué par ces thèmes dans l'œuvre de Luc, il va falloir comprendre l'essentiel du message de l'auteur en suivant le fil de sa pensée. Dans la composition des Evangiles, les auteurs bibliques ont choisi, organisé et relié un bon nombre d'épisodes de façon logique pour communiquer leur message. Pour suivre le fil de pensée de Luc, l'exégète doit essayer de comprendre comment les épisodes de son ouvrage sont logiquement regroupés et reliés. Il faut se demander : « Pourquoi Luc a-t-il choisi d'inclure cet épisode consacré au ministère de Jean dans son ouvrage ? Pourquoi l'a-t-il inséré au début de son œuvre ? Comment l'a-t-il introduit ? Comment l'a-t-il relié aux autres épisodes ? ». Pour répondre à ces questions, nous avons besoin d'analyser les mêmes principes de structure que nous avons examiné dans l'étude du contexte littéraire proche. Il faut discerner le découpage du texte en unités logiques et les relations logiques qui les relient. Seulement, dans l'analyse de la structure d'un livre, nous ne cherchons pas le découpage en paragraphes, ou même en épisodes, mais nous voulons comprendre comment l'auteur a regroupé les épisodes en unités de textes plus grandes et comment ces unités sont logiquement reliées.

Comment peut-on comprendre la structure d'un texte aussi grand que Luc-Actes en peu de temps ? Deux types de recherche sont possibles : un survol personnel du texte ou un examen des sources secondaires des auteurs qui ont étudié le texte. On peut trouver une description des thèmes et de l'articulation des idées des auteurs bibliques dans des sources secondaires : commentaires, introductions bibliques, dictionnaires ou encyclopédies bibliques. L'étudiant peut trouver beaucoup d'assistance dans ces sources secondaires pour l'aider à comprendre un livre biblique. Mais les sources secondaires communiquent aussi les préjugés des auteurs, surtout sur un sujet débattu comme celui des expériences avec l'Esprit. Si l'étudiant ne fait pas attention, la lecture d'une source secondaire peut l'empêcher de voir les indices contraires à l'opinion exprimée par l'auteur de cette source secondaire. Si l'on se sert de sources secondaires, il faut en vérifier les conclusions en examinant soi-même le texte.

Souvent, nous ne sommes pas d'accord avec les présuppositions des auteurs de ces sources. Par exemple, pour les Evangiles synoptiques, beaucoup d'exégètes développent leurs conclusions sur la base d'une théorie de rédaction. Certains auteurs cherchent à connaître la pensée de Luc en analysant les différences entre Marc et Luc. A notre avis, tous les détails de l'œuvre contribuent au message que Luc a voulu communiquer ; tous les détails sont importants pour comprendre le fil de sa pensée. C'est pourquoi nous pensons que chaque exégète ferait mieux d'examiner le texte lui-même. Ainsi, il pourra aussi justifier ses conclusions en citant les références bibliques sur lesquelles elles sont basées. Même si l'on n'arrive pas à déceler la structure d'un livre et que l'on fait appel à une source secondaire, alors une étude personnelle préalable aidera l'étudiant à en évaluer les conclusions.

Dans notre *Manuel d'études inductives des récits du Nouveau Testament*, nous présentons une méthode pour survoler un texte en cherchant des indices de sa structure. La méthode souligne l'importance de trouver les relations logiques entre les différentes unités de texte, indiquées souvent par l'information donnée dans l'introduction et dans la conclusion du livre et par certaines phrases de transition dans le récit. Nous ne voulons pas répéter toute la présentation de cette méthode dans ce manuel d'exégèse. Une description brève des relations logiques souvent utilisées pour relier les unités de texte se trouve dans les annexes de ce manuel. Nous présentons ici quelques résultats de l'emploi de cette méthode dans le survol de Luc-Actes. L'étudiant qui n'a pas étudié cette méthode aura probablement besoin de consulter la description des liens logiques de composition dans les annexes pour comprendre la nomenclature utilisée dans les entêtes de relations logiques signalées ci-dessous. Sinon, il est possible de comprendre les descriptions de ces relations logiques sans connaître la définition précise de la nomenclature.

Les grandes divisions de Luc-Actes
I.   La préface des deux volumes (Lc 1.1-4)
II.   L'introduction prophétique aux ministères de Jean-Baptiste et de Jésus (Lc 1.5-2.52)
III.   Le ministère de Jean-Baptiste (Lc 3.1-20)
IV.   Le ministère de Jésus (Lc 3.31-Ac 1.11)
V.   Le ministère des disciples de Jésus (Ac 1.12-28.31)

Les relations logiques importantes pour comprendre la structure de Luc-Actes

La récurrence d'introductions avec une annonce de but et une mise en résumé

La lecture des premiers versets de Luc-Actes révèle que l'auteur commence son œuvre par une préface dans laquelle il s'adresse à son lecteur et lui annonce le but de son écrit (Lc 1.1-4). Le style discursif distingue les quatre premiers versets du récit, lequel commence au verset cinq. Luc écrit afin que son lecteur reconnaisse *la certitude des enseignements* qu'il a reçus (Lc 1.4). Il y a une autre introduction au début du deuxième volume, dans laquelle Luc résume le ministère de Jésus (Ac 1.1-3) avant de reprendre quelques sujets de la fin de son premier volume (Ac 1.4-11). Cette récapitulation et cette reprise du premier volume sont les raisons pour lesquelles la division consacrée au ministère de Jésus ne s'arrête pas à la fin de l'Evangile.

La récurrence de sommets avec préparation/réalisation

Les deux sommets de l'œuvre correspondent aux deux grands sujets pour lesquels le lecteur a besoin de certitudes (Lc 1.4) : la messianité de Jésus et le fait que l'Eglise établie par ses disciples est composée d'un nombre grandissant de croyants d'origine païenne. Le moyen le plus important employé par Luc pour atteindre son but est l'accomplissement des prophéties. Luc signale l'importance des prophéties pour son œuvre lorsqu'il parle des *événements qui se sont accomplis* dès le premier verset (Lc 1.1). Une série de prophéties (3.16 ; 24.47-48 ; Ac 1.5, 8) préparent pour leur accomplissement dans la descente de l'Esprit sur les disciples à la Pentecôte (Ac 2.1-4). La descente de l'Esprit que Jésus a promis d'envoyer et l'accomplissement d'autres prophéties décrivant l'activité du Messie (Lc 4.18-19 ; 7.22 ; Ac 2.22, 25-28 ; 34-35) conduisent à la conclusion culminante de Pierre : *Que toute la maison d'Israël sache donc avec certitude que Dieu fait Seigneur et Christ* (Messie) *ce Jésus que vous avez crucifié* (Ac 2.36). Une autre série de prophéties (Ac 1.8 ; 2.21, 38-39 ; 15.17) et beaucoup d'événements initiés par l'Esprit (Ac 10.1-11.26 ; 13.1-28.24) amènent aux conclusions culminantes à la fin du livre, que le rejet de l'Evangile par les Juifs est l'accomplissement des prophéties (Ac 28.25-27), et surtout que *le salut de Dieu a été envoyé aux païens, et ils l'écouteront* (Ac 28.28).

Le pivot

L'événement de la Pentecôte sert aussi de pivot pour les disciples de Jésus. Le doute et l'incompréhension des disciples sont soulignés dans le récit jusqu'à la Pentecôte (Lc 7.19 ; 24.21 ; Ac 1.6). Après la descente de l'Esprit sur eux à la Pentecôte, ils annoncent la Parole de Dieu avec assurance (Ac 2.14-36 ; 4.31 ; 9.27-28 ; 13.46 ; 14.3 ; 18.26 ; 19.8 ; 26.26 ; 28.31).

La récurrence de préparation/réalisation avec une mise en détail

L'accomplissement des prophéties dans les événements de Luc-Actes, un thème introduit dans le premier verset (Lc 1.1), est le lien logique qui explique le mieux l'articulation des grandes divisions du texte de Luc-Actes. Premièrement, les paroles prophétiques dans les deux premiers chapitres du récit (1.13-17, 31-35 ; 67-79 ; 2.29-35) anticipent leur réalisation dans les sections consacrées aux ministères de Jean-Baptiste (Lc 3.1-20) et de Jésus (Lc 3.21-Ac 1.11). Deuxièmement, une parole prophétique vers la fin des trois grandes divisions consacrées aux ministères des différents protagonistes anticipe les événements racontés dans les divisions suivantes. La parole prophétique de Jean-Baptiste à la fin de la section consacrée à son ministère (Lc 3.16) anticipe sa réalisation dans les sections consacrées aux ministères de Jésus -celui qui est plus fort vient (Lc 3.20 ; 4.14, etc.)- et de ses disciples -ils sont baptisés du Saint-Esprit (Ac 1.5 ; 2.4)-. Les paroles prophétiques de Jésus à la fin de la section consacrée à son ministère (Lc 24.47-49 ; Ac 1.5, 8) anticipent leur réalisation dans la section consacrée au ministère des disciples de Jésus : l'Esprit descend sur eux (Ac 2.1-4) et leur accorde la puissance pour témoigner jusqu'aux extrémités de la terre (Ac 2.5- 28.31). Même la parole prophétique de Paul, que les païens *écouteront* la parole annonçant le salut de Dieu (Ac 28.28), anticipe sa réalisation après la fin du récit. Troisièmement, une parole prophétique tirée de l'Ancien Testament (Lc 3.4-6/Es 40.3-5 ; Lc 4.18-19/Es 61.1-2 ; Ac 2.17-21/Jl 2.28-32), dont la réalisation explicite et immédiate est déclarée dans le récit (Lc 3.4 ; 4.21 ; Ac 2.16), se trouve au début de chacune des trois sections consacrées au ministère des grands protagonistes du récit. Ces prophéties résument et expliquent le ministère du protagoniste dans chaque section (mise en détail, Lc 3.1-20 ; 3.21-Ac 1.11 ; Ac 1.12-28.31).

La récurrence de comparaison avec alternance et contraste

Le penchant de Luc pour les parallélismes est bien connu.[97] Daniel Marguerat qualifie, avec raison, le parallélisme entre les activités de Jésus et celles des apôtres de « fait établi ».[98] Deux grandes séries de comparaisons sont importantes pour la composition de Luc-Actes, une entre Jean-Baptiste et Jésus qui souligne des dissemblances (contrastes) et une entre Jésus et ses disciples qui souligne des ressemblances.

Les mêmes sujets sont abordés avec une *alternance* entre Jean-Baptiste et Jésus de manière à susciter une *comparaison* entre ces deux personnages dans la section consacrée à l'introduction de leurs ministères (Lc 1.5-2.52).

---

[97] Clark, p. 102.
[98] « Saul's Conversion (Acts 9, 22, 26) and the Multiplication of Narrative in Acts », *Luke's Literary Achievement : Collected Essays*, éd. C. M. Tuckett, JSNTSS 116, Sheffield Academic Press, 1995, p. 131-32.

Premièrement, Luc raconte l'annonce de la naissance de Jean-Baptiste (Lc 1.5-25). Puis il raconte celle de la naissance de Jésus (Lc 1.26-38). Ensuite, nous lisons le récit de la visite de Marie chez Elisabeth contenant une parole de louange énoncée par la mère de Jean (Lc 1.42-45) et une autre exprimée par la mère de Jésus (1.46-55). Ensuite, Luc raconte la naissance et l'enfance de Jean (Lc 1.57-80) puis la naissance et l'enfance de Jésus (Lc 2.1-52).

Cette comparaison révèle un *contraste* soulignant la supériorité de Jésus. Par exemple, Jean-Baptiste est né miraculeusement parce qu'Elisabeth *était stérile* (Lc 1.7), mais un miracle plus grand se produit à la naissance de Jésus parce que Marie n'a pas connu d'homme (Lc 1.34). Jean sera appelé *prophète du Très-Haut* (Lc 1.76), mais Jésus sera appelé *Fils du Très-Haut* (Lc 1.32). Jean préparera les voies du Seigneur afin de donner à son peuple la connaissance du salut par le pardon de ses péchés (Lc 1.76-77 ; Lc 3.3), mais Jésus est le Sauveur qui rachète son peuple (Lc 1.68-72), apporte le salut et pardonne les péchés (Lc 2.31-32 ; 4.18 ; 5.20-24 ; 7.47-49 ; 19.10).

Cette relation de contraste se répète dans l'ensemble de Luc-Actes. Nous comptons onze autres passages dans lesquels Luc décrit un contraste entre Jean et Jésus. Les sujets de contraste sont : le jeûne de leurs disciples (Lc 5.33-39), le plus grand parmi ceux qui sont nés de femmes et le plus petit dans le royaume (Lc 7.28), un prophète et le Christ (Lc 9.7-9, 18-20), la prière de leurs disciples (Lc 11.1), la période de la loi et des prophètes jusqu'à Jean et la période de l'annonce du royaume depuis lors (Lc 16.16), le baptême d'eau et le baptême d'Esprit (Lc 3.16 ; Ac 1.5 ; 11.16), Jésus qui est plus digne que Jean (Ac 13.23-25), et enfin le baptême de Jean et le baptême au nom de Jésus (Ac 18.25 ; 19.1-6).

Les nombreux parallèles entre Jésus et ses disciples sont une caractéristique du style de Luc qui a attiré l'attention des exégètes depuis plusieurs siècles.[99] Examinons d'abord les parallèles entre l'inauguration du ministère de Jésus et l'inauguration du ministère des disciples. Le ministère des deux commence par une citation qui est, elle-même, occasionnée par une expérience avec l'Esprit-Saint (Lc 3.21-22 ; 4.18-19 ; Ac 2.1-4, 16-21). La citation explique comment l'Esprit est venu sur les protagonistes afin de les rendre capables d'exercer un ministère prophétique. L'existence de ce parallélisme et son caractère programmatique pour la suite sont soutenus par un très grand nombre d'exégètes.[100] Robert Tannehill donne les parallèles suivants pour les deux passages :

Une dotation de l'Esprit en réponse à la prière (Lc 3.21-22 ; Ac 1.14 ; 2.2-4)

Un discours inaugural contenant une citation assez longue des Écritures qui fait référence à cette dotation de l'Esprit (Lc 4.18 ; Ac 2.17-18)

Des indices importants fournis par cette citation concernant la mission qui commence

Des rappels dans la narration subséquente que la mission accomplit les prophéties de cette citation

Une offre de « délivrance » (ἄφεσις, Lc 4.18 ; Ac 2.38)

Un rejet du protagoniste après le discours.[101]

Étienne Samain signale aussi des parallèles littéraires dans les réactions des auditeurs : l'étonnement, suivi d'une question sur l'identité de la figure prophétique (Lc 4.22 ; Ac 2.7).[102]

---

[99] Pour un résumé et une évaluation de l'histoire des recherches des parallèles, voir Clark, p. 63-72 et Susan Marie Praeder, « Jesus-Paul, Peter-Paul, and Jesus-Peter Parallelisms in Luke-Acts : A History of Reader Response », *SBL Seminar Papers* 23, éd. Kent Harold Richards, Chico CA, Scholars Press, 1984, p. 23-39.

[100] Pour une liste de quelques auteurs, voir les notes bibliographiques dans R. F. O'Toole, « Parallels between Jesus and His Disciples in Luke-Acts : A Further Study », *Biblische Zeitschrift* 27, 1983, p. 195 et Max Turner, *Power from on High: The Spirit in Israel's Restoration and Witness in Luke-Acts*, Journal of Pentecostal Theology Supplement Series 9, éd. John Christopher Thomas, Rickie D. Moore et Steven J. Land, Sheffield, Sheffield Academic Press, 1996, p. 343.

[101] *The Narrative Unity of Luke-Acts : A Literary Interpretation, Volume two : The Acts of the Apostles,* Minneapolis, Fortress, 1994, p. 29. Tannehill signale que le dernier parallèle, le rejet du protagoniste, se manifeste plus lentement dans le livre des Actes. Dans les chapitres 4 et 5 les apôtres sont en conflit avec le Sanhédrin. Au chapitre 7 il y a le commencement d'une grande persécution.

[102] « Le discours programme de Jésus à la synagogue de Nazareth Luc 4.16-30 », *Foi et vie*, 11, 1971, p. 41.

Ces parallèles font partie d'une série de parallèles entre les personnages « prophétiques » du récit. Paul Minear parle d'une succession de prophètes dans Luc-Actes : Jean-Baptiste, « le prophète comme Élie » ; Jésus, « le prophète comme Moïse » ; et les apôtres, « les prophètes comme Jésus ».[103] Luke Timothy Johnson parle des « hommes de l'Esprit » dont la description des ministères suit un schéma stéréotypé. Les apôtres, Étienne, Philippe, Barnabas et Paul sont tous des « hommes de l'Esprit qui ... proclament la Parole de Dieu avec assurance et puissance, certifient cette prédication par l'accomplissement des signes et des prodiges, et stimulent parmi leurs auditeurs une réponse d'approbation ou de rejet ».[104] Ces « hommes de l'Esprit » sont à leur tour modelés d'après Jésus, le prophète comme Moïse (Ac 3.20-24 ; 7.37).[105] Dans le tableau suivant, nous avons ajouté à la description des « hommes de l'Esprit » proposée par Johnson d'autres caractéristiques en parallèle.[106]

Figure 22 : La description stéréotypée des hommes de l'Esprit dans Luc-Actes

	Jésus	Moïse	Pierre et les apôtres	Étienne	Philippe	Paul et Barnabas
Mandat	Lc 4.18-19	Ac 7.34-35	Ac 1.8	Ac 6.3-6	Ac 6.3-6	Ac 13.1-3
Rempli de l'Esprit	Lc 4.1 ; Ac 10.38		Ac 2.4 ; 4.8, 31	Ac 6.3, 5 ; 7.55	Ac 6.3	Ac 9.17 ; 11.24
Paroles avec assurance παρρησία παρρησιάζδμαι	Lc 24.19 ; Ac 10.36	Ac 7.22	**Ac 2.29 ; 4.13, 29, 31**	Ac 6.10	Ac 8.4	**Ac 9.27, 28 ; 13.46 ; 14.3 ; 19.8 ; 26.26 ; 28.31**
Signes et prodiges τέρατα σημεῖα δυνάμεις	Lc 24.19 ; **Ac 2.22 ;** 10.38	**Ac 7.22, 36**	**Ac 2.43 ; 5.12**	**Ac 6.8**	**Ac 8.6, 13**	**Ac 14.3 ; 15.12 ; 19.11**
Approbation ou rejet	Ac 2.23, 36 ; 10.39	Ac 7.27, 35, 39	Ac 2.41 ; 4.2, 4, 21	Ac 6.11-14 ; 7.54, 57-59	Ac 8.12	Ac 14.4 ; 28.24
Arrestation	Lc 22.54		Ac 4.3, etc.	Ac 6.12		Ac 16.19, 21.27
Témoignage	Lc 22.66-23.3		Ac 4.8s, etc.	Ac 7.1s	Ac 8.26-39	Ac ch. 23-26
Souffrance/ Persécution	Lc 24.46 ; Ac 2.23	Ac 7.52	Lc 21.12-17 ; Ac 5.40-41	Ac 7.58	Ac 8.1	Ac 16.22-23 ; 21.30-33

---

[103] *To Heal and to Reveal : The Prophetic Vocation According to Luke,* New York, Seabury, 1976 p. 81-147.

[104] *The Literary Function of Possessions in Luke-Acts,* SBL Dissertation Series 39, éd. Howard C. Kee et Douglas A. Knight, Missoula, MT, Scholars Press, 1977, p. 38-58, citation p. 58.

[105] Ibid., p. 60-76.

[106] Les conclusions de Johnson se trouvent dans la partie encadrée en lignes grasses. Les références en gras représentent la répétition des mots clés en grec.

Figure 23 : Le tableau récapitulatif du survol de Luc-Actes

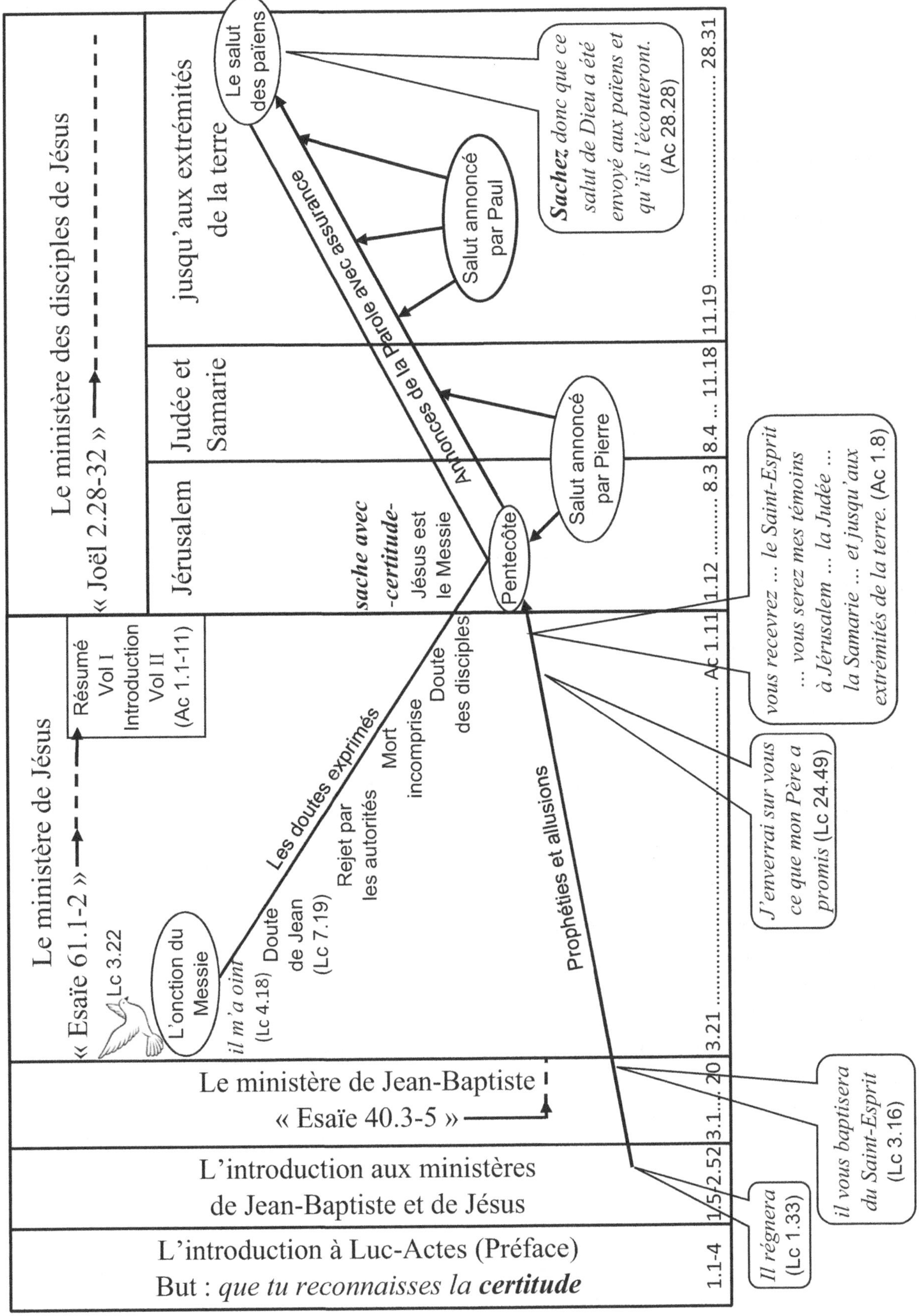

Conclusions tirées du contexte littéraire large

Nous avons discerné que l'expression « baptiser du Saint-Esprit » communique deux sens différents dans l'œuvre de Luc-Actes. Nous proposons qu'une bonne compréhension du contexte littérature large fournira une explication adéquate pour cette énigme. Nous avons besoin de comprendre comment Jean utilise cette expression dans sa stratégie pour communiquer son message.

Le message et la stratégie de Luc

Selon la préface, Luc veut donner une certitude à ses lecteurs concernant l'enseignement qu'ils ont reçu (Lc 1.4). Selon notre survol, les deux grands sujets pour lesquels ses lecteurs ont besoin de certitude sont la messianité de Jésus et le fait que l'Eglise établie par ses disciples était composée d'un nombre grandissant de croyants d'origine païenne. Le moyen le plus important employé par Luc pour donner cette certitude est l'accomplissement des prophéties (Lc 1.1), en particulier les prophéties concernant les ministères prophétiques de Jésus (Lc 4.17-21) et de ses disciples (Ac 2.16-21). Notez l'importance du but dans la préface, des prophéties et les deux grands sujets (la messianité de Jésus et le salut des païens) dans le tableau récapitulatif du survol de Luc-Actes à la page suivante.

Le rôle de l'Esprit dans la stratégie de Luc

Les deux prophéties essentielles pour la stratégie de Luc insistent sur l'onction de l'Esprit pour accomplir les ministères prophétiques de Jésus et de ses disciples. Luc démontre l'accomplissement de la prophétie d'Esaïe (61.1-2) citée par Jésus (Lc 4.17-18) en racontant les aspects de son ministère qui correspondent à cette prophétie. L'Esprit vient sur lui à son baptême (Lc 3.22). En conséquence, il annonce la bonne nouvelle aux pauvres, ressuscite les morts, guérit les malades (Lc 7.22) et délivre les opprimés des démons (Lc 11.20). De même, il démontre l'onction des disciples en racontant les aspects de leur ministère qui correspondent à l'onction prophétique annoncée par Joël. L'Esprit est répandu sur les premiers disciples à la Pentecôte (Ac 2.1-4), sur les disciples samaritains (Ac 8.16-17) et sur les disciples d'origine païenne (Ac 10.44-47). Cette onction leur permet d'annoncer la parole de Dieu avec assurance (Ac 2.29 ; 4.31 ; 8.4 ; 13.46 ; 28.31, etc.) et de faire des signes et prodiges par la puissance de l'Esprit (Ac 2.43 ; 6.8 ; 8.6 ; 14.3, etc.), comme Jésus (Ac 2.22). Ces preuves visibles valident l'incorporation de groupes traditionnellement exclus de la communauté eschatologique du peuple de Dieu.

Le rôle du message de Jean dans la stratégie de Luc

Le message de Jean est la dernière parole prophétique annonçant la venue du Messie avant son arrivée. Si notre interprétation de la signification de l'expression « baptiser du Saint-Esprit et de feu » est correcte, cette prophétie de Jean correspond au message de la délivrance des ennemis d'Israël déjà annoncée dans la prophétie de Zacharie (Lc 1.71). Deux liens de composition nous aident à comprendre cette expression énigmatique de Jean : l'annonce du but dans la préface et la série de contrastes entre Jean et Jésus. Premièrement, Luc veut aider son lecteur à acquérir une certitude sur la messianité de Jésus. Jean est un des personnages dans le récit qui exprime un doute sur cette vérité (Lc 7.20). Dans sa parole prophétique, il exprime une attente messianique que Jésus n'a pas réalisée avant son départ : la destruction des non repentis et la délivrance des repentis. Luc doit montrer que Jean a mal compris cette attente vétérotestamentaire. Dans la première répétition de l'expression de Jean, Jésus élimine le feu et corrige la chronologie de l'attente messianique de ses disciples (Ac 1.5-7). Dans la deuxième répétition, Pierre corrige un aspect de cette attente messianique. Au lieu d'être détruits par le feu, Pierre comprend que les païens peuvent devenir des bénéficiaires du salut (Ac 11.15-18).

La récurrence de contraste entre Jean et Jésus appuie la nécessité de corriger ou mettre à jour la compréhension du message de Jean. Les disciples de Jean avaient besoin de certaines corrections, probablement en fonction de leur exposition au ministère de Jésus et à l'expérience de son Eglise. Les disciples qui ont suivi Jésus avaient besoin d'une mise à jour de leurs attentes messianiques. Aquilas et Priscille ont dû corriger Apollos, un disciple de Jean, en lui exposant « plus exactement la voie du Seigneur » (Ac 18.26). Les disciples de Jean à Ephèse ne connaissaient pas l'onction de l'Esprit expérimentée par les disciples de Jésus depuis l'événement de la Pentecôte. Paul a ressenti le besoin de les rebaptiser au nom de Jésus et de leur imposer les mains pour qu'ils reçoivent cette onction (Ac 19.5-6).

La stratégie de Luc aide à comprendre pourquoi l'expression de Jean-Baptiste communique deux sens dans le récit de Luc. Le premier sens est celui que Jean lui donne, correspondant à la destruction des ennemis d'Israël promise dans les anciennes prophéties (Lc 3.16-17). Le récit de Luc affirme que cette attente messianique sera réalisée plus tard (Lc 21.5-38). Le deuxième sens est celui que Jésus lui donne en corrigeant la chronologie de cette attente de Jean (Ac 1.5-8).

Conseils pour la rédaction d'une dissertation exégétique

Le travail qu'il faut consacrer au contexte littéraire large dans une dissertation exégétique dépend de votre question d'exégèse, de la longueur de votre livre et du temps dont vous disposez pour faire ce travail. Souvent, le travail sur le vocabulaire de votre texte donnera de bonnes pistes de recherche dans votre contexte littéraire large. Mais, comme nous l'avons constaté pour l'expression de Jean-Baptiste, ces pistes ne suffisent pas toujours. Une connaissance de l'œuvre dans laquelle vous faites votre travail d'exégèse est essentielle. Vous pouvez acquérir cette connaissance de deux manières. Vous pouvez examiner l'œuvre vous-même, ou vous pouvez lire le travail d'autres interprètes. Si l'œuvre est longue, l'étudiant est presqu'obligé de suivre la seconde piste. Toutefois, une comparaison de plusieurs auteurs révèle assez rapidement que les opinions sont diverses. Nous recommandons une combinaison des deux pistes. Lisez les introductions de quelques auteurs et survolez vous-même le texte. Le survol vous permettra d'évaluer le travail des autres, et le travail des autres vous permettra de constater certaines choses que vous n'avez pas remarquées dans votre survol.

Exercices :

14.1.1 Lisez les chapitres 4 à 7 de *Bouleversé par l'Esprit* pour acquérir une meilleure connaissance du contexte littéraire large et de sa pertinence pour interpréter l'expression « baptiser du Saint-Esprit ». Au chapitre 4, nous cherchons à connaître l'essentiel du message de Luc, sa stratégie pour communiquer ce message et le rôle joué par l'Esprit dans cette stratégie. Au chapitre 5, nous essayons de comprendre la majorité des expressions employées par Luc pour décrire les expériences avec l'Esprit à la lumière de sa stratégie. Au chapitre 6, nous examinons l'interprétation de l'expression « baptiser du Saint-Esprit ». Au chapitre 7, nous examinons l'interprétation de l'expression « rempli de l'Esprit ».

Chapitre 15

Le contexte intertextuel

Le contexte intertextuel concerne les textes qui auraient servis de base ou d'inspiration pour le texte que nous examinons. La tâche de l'interprète est de discerner si un tel lien existe entre deux textes et comment le contexte d'un texte aurait influencé la rédaction de l'autre. Il est parfois facile de trouver ces liens. Une note en bas de la page de notre Bible peut nous envoyer à un texte de l'Ancien Testament ou à un autre texte du Nouveau Testament qui emploie une même phrase. Une recherche de vocabulaire peut aussi dévoiler une phrase identique ou semblable. Le Nouveau Testament en grec de la Société Biblique met les citations de l'Ancien Testament en lettres grasses et une note en bas de la page donne la référence.[107] Luc 3.15-17 n'a pas de citation, mais nous trouvons une longue citation d'Esaïe 40.3-5 dans l'introduction de l'épisode (Luc 3.4-6).

Les références parallèles données pour ce passage dans la même version du Nouveau Testament en grec concernent la répétition du vocabulaire dans Luc-Actes et ailleurs. Aucune référence donnée dans cette version ne semble être une source d'inspiration pour la parole prophétique de Jean-Baptiste : *il vous baptisera du Saint-Esprit et de feu.* En comparant les récits en parallèle de Matthieu (3.1-12) et Luc (3.1-17), on peut discerner qu'une tradition orale ou écrite se trouve à la base des deux. A notre avis, une tradition orale explique mieux la concordance et les différences entre les deux récits.[108] Même si l'on croit que Luc s'est inspiré de Matthieu, l'ambiguïté de l'expression de Jean-Baptiste demeure. L'identification d'un autre texte qui aurait inspiré cette parole prophétique de Jean pourrait nous aider à comprendre son sens.

Beaucoup de liens intertextuels existent entre les passages du Nouveau et de l'Ancien Testament parce que les auteurs du Nouveau Testament se nourrissaient de ces textes, et surtout de la version grecque qu'on appelle la Septante. Les auteurs du texte du Nouveau Testament peuvent citer un texte, ou faire allusion, consciemment ou inconsciemment, à un texte de l'Ancien Testament. Un auteur peut aussi employer un mot de vocabulaire ou une idée de l'Ancien Testament pour lequel le sens découle de son contexte vétérotestamentaire. Pour comprendre comment un auteur fait cela, on peut prendre le cas d'un ancien prédicateur aujourd'hui, qui a tellement l'habitude de citer les textes bibliques qu'il emploie un vocabulaire biblique pour parler des affaires de tous les jours. Pour une personne qui n'est pas habituée au vocabulaire biblique, le langage de ce prédicateur paraît étrange. Ceux qui connaissent la Bible ont moins de difficultés pour le comprendre parce qu'ils sont conscients du contexte dont il tire son vocabulaire. Pour mieux comprendre le Nouveau Testament, nous devons acquérir une meilleure connaissance de l'Ancien

---

[107] Voir l'article de Joseph A. Fitzmyer pour une bonne analyse des citations de l'Ancien Testament dans Luc-Actes, « The Use of the Old Testament in Luke-Acts », p. 524-38
[108] Voir « Le Problème Synoptique » dans Harrison, *L'introduction*, p. 20-50.

Testament duquel les auteurs du Nouveau Testament s'inspiraient pour le vocabulaire qu'ils utilisaient et pour les idées qu'ils exprimaient.

Des liens entre les Evangiles synoptiques sont aussi très faciles à repérer. Ces textes contiennent de nombreuses phrases identiques ou semblables. Mais, comme les dates et le processus de rédaction pour ces textes sont encore très débattus, il est difficile de tirer une conclusion sur l'influence d'un texte sur un autre. Beaucoup d'interprètes tirent des conclusions sur l'hypothèse que Matthieu et Luc se sont servis de Marc et d'un texte qu'on appelle « Q » pour rédiger leur Evangile. Trois faits rendent ces conclusions incertaines : (1) la priorité de Marc n'est pas établie, (2) aucun manuscrit existant ne correspond à ce qu'on appelle « Q » et (3) l'influence des traditions orales peut être beaucoup plus importante que ces interprètes ne l'imaginent.

L'influence intertextuelle n'est pas limitée aux textes cités par les auteurs du Nouveau Testament ou aux textes auxquels ils font allusion. Comme nous l'avons suggéré par l'exemple d'un ancien prédicateur, un auteur peut simplement utiliser, consciemment ou inconsciemment, un mot de vocabulaire ou une idée du contexte de la Septante. Le texte de Matthieu 5.48, *Soyez donc parfaits, comme votre Père céleste est parfait*, s'inspire probablement de Lévitique 19.2 : *Soyez saints, car je suis saint, moi, l'Éternel, votre Dieu*. Le vocabulaire n'est pas le même ; mais l'idée que notre conduite doit ressembler à la conduite de Dieu est reprise dans un contexte semblable : l'amour de son prochain se trouve dans le contexte des deux passages (Mt 5.44 ; cf. Lév 19.18).

Il faut aussi signaler que la tâche exégétique du contexte intertextuel ne s'arrête pas au discernement d'un lien entre le texte que nous examinons et un autre texte. Il faut ensuite discerner comment l'autre texte aurait influencé le sens attribué au texte par l'auteur et le sens compris par ses lecteurs ou ses auditeurs. Par exemple, pour le texte que nous venons de citer, beaucoup d'interprètes aujourd'hui préfèrent attribuer le sens de maturité spirituelle au terme « parfait » (τέλειος) employé par Matthieu. Mais si l'auteur s'inspire du texte de Lévitique, où cette phrase se trouve en tête d'une série d'instructions sur la conduite souhaitée pour le peuple de Dieu, l'auteur parle probablement de la perfection morale pour laquelle Dieu est le modèle.

La recherche des intertextes par une analyse du vocabulaire

La recherche d'un intertexte qui ne contient pas le vocabulaire employé dans le texte que nous interprétons exige une bonne connaissance de l'Ancien Testament. Très souvent l'interprète est obligé de faire un recours aux sources secondaires pour trouver ces parallèles. Certaines éditions de la Bible fournissent une liste de passages en parallèle, proposés par les éditeurs, dans la marge ou dans une colonne au milieu de la page. On peut aussi consulter des dictionnaires, des encyclopédies et des commentaires. Mais, avant de consulter les sources secondaires pour le texte de Luc 3.15-16, nous proposons d'examiner l'emploi de deux autres termes dans la Septante dans le but de trouver les textes qui auraient pu inspirer Jean.

Nous n'avons pas épuisé les possibilités de recherches du vocabulaire de Jean-Baptiste qui pourraient nous donner des pistes pour trouver des textes d'inspiration pour son message. Dans le chapitre consacré à l'examen du vocabulaire, nous avons cherché les emplois du terme « baptiser » (βαπτίζω) dans la Septante. Cette recherche n'a pas été fructueuse. Nous n'avons trouvé que quatre emplois (2 R 5.14 ; Judith 12.7 ; Sir 34.25 ; Es 21.4). Bien que nous ayons trouvé une répétition du terme employé avec le même sens que nous proposons pour l'expression de Jean-Baptiste (Es 21.4, écraser, accabler), le contexte de cet emploi dans le livre d'Esaïe ne ressemble pas au contexte de l'expression de Jean-Baptiste. A notre avis, aucun de ces emplois n'aurait pu servir d'inspiration pour cette expression.

Dans l'expression *baptiser du Saint-Esprit et de feu*, la recherche de trois autres termes peut être utile pour la comprendre : Saint (ἅγιος), Esprit (πνεῦμα) et feu (πῦρ). Bien que l'adjectif saint (ἅγιος) soit employé 831 fois dans la Septante, il est employé seulement cinq fois dans l'Ancien Testament pour décrire le terme Esprit (πνεῦμα, Ps 51.11 [50.13 LXX] ; Es 63.10, 11 ; Dn 5.12 ; 6.4) et 8 fois dans les Apocryphes (Od 14.15 ; Sg 1.5 ; 7.22 ; 9.17 ;

uz(Th) 1.45 ; Dn(Th) 4.8, 9, 18). Ps 51.11 se trouve dans une prière de repentance de David pour une purification, lorsque Nathan l'a confronté à son péché avec Bath-Schéba (Ps 51.1). Mais l'Esprit dans ce passage n'est probablement pas considéré comme un moyen de purification. A cause de son péché, David demande à Dieu qu'il ne lui *retire pas son Esprit saint* (Ps 51.11). Le contexte dans le premier livre de Samuel indique probablement qu'il s'agit de l'Esprit de l'onction qui avait été retiré au roi Saül à cause de son péché (1 Sa 16.14). Sg 9.17 affirme que Dieu a « envoyé d'en haut » son « saint Esprit » (TOB), une référence qui pourrait être un intertexte pour la promesse de Jésus d'envoyer l'Esprit sur ses disciples (Lc 24.49), Mais dans le livre de Sagesse, l'Esprit accorde la connaissance de la volonté de Dieu et non une puissance.

Bien que nous n'ayons pas trouvé un emploi de l'adjectif ἅγιος qui aurait inspiré Jean dans la formulation de son expression énigmatique, la distribution des emplois de cet adjectif est intéressante. Sur les 287 fois que le terme πνεῦμα est employé dans l'Ancien Testament, les auteurs ont précisé les sens par l'adjonction de l'adjectif ἅγιος seulement 5 fois ; une fois dans les Psaumes (51.11), deux fois dans un passage d'Esaïe (63.10-11), et deux fois pour parler de Daniel (5.12 ; 6.4). Une centaine de fois, les auteurs parlaient de l'Esprit de Dieu sans préciser qu'il est saint. Il semble que l'usage de « Saint-Esprit » a dû se développer à l'époque du Nouveau Testament.[109]

La recherche des emplois de πνεῦμα et de πῦρ nous enverra sur de bonnes pistes. Mais, les deux termes sont répétés si souvent qu'il est difficile de les examiner tous. Comment peut-on réduire le champ de recherches ? Il faut commencer par les pistes de recherche suggérées par le texte que nous examinons. Nous avons déjà constaté que Luc a utilisé une citation d'Esaïe pour introduire le message de Jean (Luc 3.3-6). Luc pensait que le ministère et le message de Jean accomplissaient cette prophétie d'Esaïe (Lc 3.4). Ainsi, Luc nous donne une bonne piste à suivre pour trouver les intertextes de notre épisode. Nous ne sommes pas sûrs de trouver des intertextes dans l'œuvre d'Esaïe, mais, selon l'indice laissé par Luc, c'est la meilleure piste à suivre pour commencer. Justement, nous découvrons qu'Esaïe parle beaucoup du jour de l'Eternel et de la venue du Messie. Une recherche d'emplois du vocabulaire de Jean dans la version grecque d'Esaïe se révélera fructueuse.

La recherche de πνεῦμα et πῦρ dans le livre d'Esaïe

Donc, nous avons choisi de limiter, dans un premier temps, la recherche des termes πνεῦμα et πῦρ au texte d'Esaïe à cause du grand nombre d'emplois de ces termes dans la Septante. Πνεῦμα est employé 381 fois et πῦρ 541 fois. Si nous réduisons les recherches au texte d'Esaïe, πνεῦμα est employé seulement 39 fois et πῦρ seulement 32 fois. Le terme « feu » est employé 17 fois pour parler du jugement de Dieu.[110] Trois fois Esaïe emploie le terme dans l'image du vannage, comme dans l'illustration de Jean-Baptiste (Es 5.24 ; 33.11 ; 47.14 ; Lc 3.17). Jean-Baptiste aurait pu être inspiré par ces textes lorsqu'il a employé la même image. Dans un de ces textes de vannage, Esaïe emploie les deux termes, πῦρ et πνεῦμα : *Vous avez conçu du foin, Vous enfanterez de la paille ; Votre souffle* (πνεῦμα), *C'est un feu* (πῦρ) *qui vous consumera* (Es 33.11).[111] Dans Esaïe 30.27-28, la langue de l'Eternel est *comme un feu* (πῦρ) *dévorant ; Son souffle* (πνεῦμα) *est comme un torrent qui déborde et atteint jusqu'au cou, Pour cribler les nations avec le crible de la destruction »*. Cet emploi est particulièrement intéressant parce que l'image du souffle de l'Eternel est comparée à un torrent qui déborde et atteint jusqu'au cou. L'image du souffle violent est comparée à l'image du torrent d'eau violent. La comparaison n'est pas loin de celle employée par Jean. Seulement, dans la comparaison de Jean, il s'agit d'un contraste. Le baptême de Jean avec l'eau, qui n'est pas violent, se trouve en contraste avec le baptême de Jésus. Ce texte d'Esaïe pourrait très bien être celui qui a inspiré cette métaphore de Jean.

---

[09] Dans le N.T., 73 sur 379 emplois de πνεῦμα sont accompagnés de l'adjectif ἅγιος, dont 52 dans Luc-Actes.
[10] 1.31 ; 5.24 ; 9.18 ; 10.16, 17 ; 26.11 ; 29.6 ; 30.27 ; 30.33 ; 33.11, 14 ; 47.14 ; 64.1 ; 65.5 ; 66.15, 16 ; 66.24.
[11] La version de la Septante ne parle pas du foin et de la paille.

Le terme πνεῦμα est employé 8 fois dans ce livre pour parler du jugement, 7 fois pour parler du jugement de Dieu par son souffle (4.4 ; 11.2-4 ; 27.8 ; 28.6 ; 30.28 ; 38.28 ; 33.11), et une fois pour le souffle des tyrans (25.4). Nous avons déjà souligné l'importance des emplois associés au feu (27.8 et 30.28). Deux autres emplois sont pertinents parce que le souffle du jugement est associé à l'œuvre du Messie. Le « germe de l'Eternel » (4.2) purifiera Jérusalem « par le souffle du jugement et par un souffle d'incendie » (Es 4.4, TOB).[112] Cette dernière image ressemble à celle des vipères dans la prédication de Jean qui fuient la colère à venir. Le parallèle avec le message de Jean semble clair. Le Messie effectuera la destruction des ennemis d'Israël par son souffle et par un feu de destruction. Un autre passage bien connu du livre d'Esaïe parle du jugement effectué par le souffle du Messie :

> *L'Esprit* (πνεῦμα) *de l'Eternel reposera sur lui : Esprit* (πνεῦμα) *de sagesse et d'intelligence, Esprit* (πνεῦμα) *de conseil et de force, Esprit* (πνεῦμα) *de connaissance et de crainte de l'Eternel. Il respirera la crainte de l'Eternel ; Il ne jugera point sur l'apparence, Il ne prononcera point sur un ouï-dire. Mais il jugera les pauvres avec équité, Et il prononcera avec droiture un jugement sur les malheureux de la terre ; Il frappera la terre de sa parole comme d'une verge, Et du souffle* (πνεῦμα) *de ses lèvres il fera mourir le méchant.* (Es 11.2-4).

Lorsque nous examinons les textes de l'Ancien Testament dans le but de comprendre un message dans le Nouveaux Testament, il faut faire attention à ne pas imposer un message plus positif au texte de l'Ancien Testament comme les messages que nous avons l'habitude d'entendre dans nos églises aujourd'hui,. On peut y trouver des messages positifs, mais les messages négatifs du jugement sont plus nombreux. Max Turner, par exemple, souligne le fait que l'Esprit oignant le Messie dans ce passage est *l'Esprit de connaissance et de crainte de l'Eternel* (Es 11.2). Il arrive à la conclusion que l'Esprit est le moyen de purification éthique pour le Messie.[113] Il n'interprète pas ce passage selon son contexte. L'Esprit ne rend le Messie capable ni d'améliorer sa conduite, ni la conduite des autres, mais de gouverner avec équité (Es 11.3-4).[114] L'interprétation de Turner omet de prendre en compte la répétition de l'Esprit (πνεῦμα) au verset quatre, où sa fonction est de faire mourir le méchant et non pas de purifier les justes.

Les images de la destruction par le souffle de Dieu et le feu ne sont pas les seuls parallèles entre le message de Jean et celui d'Esaïe. Voici une liste d'images employées par Esaïe qui correspondent aux éléments dans le message de Jean.

Le concept de la colère à venir (Es 13.9 ; Lc 3.7),

Le concept de la proclamation de la bonne nouvelle (Es 40.9 ; 52.7 ; 60.6 ; 61.1 ; Lc 3.18 ; 4.18, etc.),

L'image des pierres devenant des descendants d'Abraham (Es 51.1-2 ; Lc 3.8),

L'image du jugement par le feu (Es 1.31 ; 4.5 ; 5.24 ; 9.17-18 ; 10.16-17 ; 26.11 ; 29.6 ; 30.27-33 ; 33.11, 14 ; 47.14 ; 66.15-16) ; et précisément par un feu qui ne s'éteint pas (66.24 ; Lc 3.9, 16 ; 12.49 ; 17.29-30),

L'image du jugement par le souffle de Dieu (*ruach*, traduit dans la Septante par πνεῦμα Es 4.4 ; 11.4 ; 30.28 ; 33.11 ; Lc 3.16 ; traduit par ἄνεμος, Es 17.13 ; 41.16),

L'image des arbres infructueux coupés et jetés au feu du jugement (Es 6.13 ; 10.33-34 ; 32.19 ; Lc 3.9 ; 13.6-9),

---

[112] Le "germe de l'Eternel" est souvent considéré comme un synonyme du rameau d'Esaïe 11.1 et donc une référence au Messie, J. A. Motyer, *The Prophecy of Isaiah : An Introduction and Commentary*, Downers Grove, IL, InterVarsity Press, 1993, p. 65 ; E. J. Young, *The Book of Isaiah*, vol. 1 NICOT, Grand Rapids, Eerdmans, 1964, p. 173-75.

[113] *Power*, p. 132-33, 183.

[114] William W. et Robert P. Menzies, *Spirit and Power : Foundations of Pentecostal Experience*, Grand Rapids, Zondervan, 2000, p. 92.

L'image du jugement par vannage comme un moyen pour séparer les bons des méchants (Es 17.13 ; 29.5 ; 40.24 ; 41.2, 15-16 ; 47.14 ; Lc 3.17).[115]

Il faut signaler que les images du jugement évoquées par Jean ne sont pas limitées au livre d'Esaïe. On peut trouver des images semblables dans d'autres livres prophétiques de l'Ancien Testament.[116] Les mêmes images et vocabulaire sont employés dans d'autres prophéties eschatologiques. Par exemple, selon Joseph Fitzmyer, « la colère à venir » est une expression vétérotestamentaire du jugement de Dieu par lequel le mal sera effacé, une image souvent associée au Jour du Seigneur (Es 13.9 ; So 1.14-18 ; 2.2 ; Ez 7.19).[117] Nous signalons que, dans ces passages, cette colère est associée à la destruction par le feu (So 1.18) et à la paille balayée (So 2.2). Ailleurs les images du vannage (Jr 15.7) et des arbres abattus (Ez 31.12 ; Dn 4.14) sont employées pour parler du jugement. Le jugement par le feu est un thème fréquent dans les prophéties de l'Ancien Testament (Ez 38.22 ; Am 7.4 ; So 1.18 ; 3.8 ; Ml 4.1). Une lecture rapide de ces textes révèle que ces images font partie d'un répertoire prophétique pour parler du jugement eschatologique. Mais les parallèles les plus proches du message de Jean-Baptiste se trouvent dans le livre d'Esaïe.[118]

L'évaluation des intertextes proposés

Des interprètes proposent d'autres intertextes qui auraient inspiré l'expression de Jean-Baptiste. Par exemple, James Dunn et Max Turner, deux exégètes bien connus, pensent que Jean fait allusion au feu purificateur de Malachie 3.1-3). Le texte parle bien d'un feu purificateur dans le contexte d'un messager qui prépare la voie du Messie :

> Voici, j'enverrai mon messager ; Il préparera le chemin devant moi. Et soudain entrera dans son temple le Seigneur que vous cherchez ; Et le messager de l'alliance que vous désirez, voici, il vient, Dit l'Éternel des armées. Qui pourra soutenir le jour de sa venue ? Qui restera debout quand il paraîtra ? Car il sera comme le feu du fondeur, Comme la potasse des foulons. Il s'assiéra, fondra et purifiera l'argent ; Il purifiera les fils de Lévi, Il les épurera comme on épure l'or et l'argent, Et ils présenteront à l'Éternel des offrandes avec justice.

Ils arrivent à la conclusion que l'expression « baptiser de l'Esprit » fait référence à la purification du croyant.[119]

Si les exégètes ne sont pas d'accord sur le texte qui aurait inspiré Jean-Baptiste, comment faut-il évaluer les différentes propositions ? Il faut examiner les arguments des exégètes et évaluer les ressemblances entre les intertextes qu'ils proposent et le passage que nous interprétons. Les termes et concepts associés dans l'énoncé de Jean-Baptiste sont : le baptême, l'Esprit, le feu et l'attente messianique. Nous avons déjà constaté qu'aucun texte de l'Ancien Testament n'associe le terme « baptiser » à un autre de ces éléments. La proposition de Malachie 3.2-3 par Dunn, Turner et d'autres interprètes parle d'un feu dans le contexte de la venue du Messie

Mais le texte proposé par Dunn et Turner ne mentionne pas l'Esprit. L'Esprit de Dieu n'est même pas mentionné dans tout le livre. Il n'est pas clair non plus que le texte de Malachie parle de la purification du croyant. L'image

---

[115] Liste tirée de Randall A. Harrison, *Bouleversé par l'Esprit : Une étude biblique sur la découverte de l'Esprit,* Abidjan, FATEAC, p. 53-54. Pour une discussion de ces allusions, voir Joseph A. Fitzmyer, *The Gospel According to Luke I-X : Introduction, Translation and Notes,* The Anchor Bible 28, New York/ London, Doubleday, 1981, p. 468-69, 474 ; Joel B. Green, *The Gospel of Luke,* NICNT, Grand Rapids, Eerdmans, 1997, p. 177-78, I. Howard Marshall, *The Gospel of Luke : A Commentary on the Greek Text,* NIGTC, éd. I. Howard Marshall et W. Ward Gasque, Grand Rapids, Eerdmans, 1978, p. 141, 147-48, John Nolland, *L'Évangile de Luke 1-9.20,* Word Biblical Commentary, vol 35a, Dallas, Word, 1989, p. 148 et Léopold Sabourin, *L'Évangile de Luc : Introduction et commentaire,* Rome, Editrice Pontificia Università Gregoriana, 1985, p. 117.

[116] Harrison, *Bouleversé,* p. 59.

[117] Fitzmyer, *Luke,* p. 468.

[118] Les exemples de ce paragraphe sont reproduits de Harrison, *Bouleversé,* p. 58-59.

[119] Dunn, *Baptism in the Holy Spirit : A Re-examination of the New Testament Teaching on the Gift of the Spirit in Relation to Pentecostalism Today, Studies in Biblical Theology,* 2ème Série 15, Alec R. Allenson Inc., Naperville, 1970, p. 10-12 ; Turner, *Power,* p. 176, 183-84

de la purification de l'or en le fondant et en enlevant les impuretés qui montent à la surface, ainsi que les détails dans le passage, favorisent une interprétation que cette purification concerne l'élimination des méchants et non pas la purification des fidèles (Mal 3.5 ; 4.1). La même image de vannage est évoquée : *les méchants seront comme du chaume* (Mal 4.1). Comme dans la prédication de Jean-Baptiste, le message de Malachie accentue le besoin de repentance pour éviter les malheurs de cette purification (Mal 3.7 ; 4.1) et jouir des bénédictions de Dieu (Mal 3.10-12 ; 4.2-3).

En parcourant les emplois du terme « feu » dans la Septante, on constate que le terme est employé pour parler d'un feu de camp ou d'un sacrifice, et pour représenter la présence de Dieu dans le buisson ardent, dans une colonne de feu, sur la montagne de Sinaï, et dans le temple. Mais dans la grande majorité des emplois, il s'agit d'un feu de jugement, employé comme une arme de guerre pour détruire les villes et les nations ; très souvent il s'agit d'un jugement envoyé par Dieu. Même quand le terme est employé pour représenter la présence de Dieu, la crainte de destruction est probablement toujours présente. Moïse ne devait pas s'approcher du buisson ardent. Il craignait même de regarder (Ex 3.5-6). La colonne de feu et de nuée a empêché les Egyptiens de poursuivre les Israélites à la Mer Rouge (Ex 14.20-24). Le peuple ne devait pas s'approcher du mont Sinaï qui *était tout en fumée, parce que l'Éternel y était descendu au milieu du feu* (Ex 19.18), sinon il risquait de périr (Ex 19.21). Il craignait de regarder, de peur de mourir (Dt 18.16). Les sacrificateurs ne pouvaient entrer lorsque le feu est descendu consumer les sacrifices, et que le feu et la gloire de Dieu ont rempli la maison de Dieu (2 Chr 7.1-3).

Trois autres textes parlent de la purification par le feu du fondeur. Dans Nombres 31.23, il s'agit de la purification du butin en métaux précieux pris dans la guerre contre les madianites. Dans les deux autres textes, l'auteur utilise la métaphore du feu du fondeur pour parler de la purification comme dans le texte de Malachie. Dans l'oracle prononcé par Zacharie sur Israël, l'Eternel mettra un tiers de la population dans le feu pour être purifié *comme on purifie l'argent* l (13.9). Les deux autres tiers seront exterminés (13.8). Comme dans le texte de Malachie, ce qui est accompli par cette purification n'est pas précisé, mais les exemples dans le contexte parlent de l'élimination des malfaiteurs. On pourrait penser que la purification du tiers qui reste est une purification de leur conduite, mais la métaphore et les exemples semblent soutenir l'idée que la population est purifiée par le feu du jugement dernier ; les deux tiers dont la conduite étaient mauvaise seront exterminés, le tiers qui reste jouira des bénédictions de Dieu (12.1-13.9). Dans la parole de l'Eternel contre Jérusalem adressée à Ezéchiel (22.17-22), la purification effectuée par le feu du fondeur est plus claire : *la maison d'Israël est devenue ... comme des scories* (22.18) qui seront rassemblés au creuset. Dieu soufflera contre eux avec le feu de sa fureur, et ils seront fondus (22.20-22).

Les arguments en faveur des intertextes du livre d'Esaïe sont plus nombreux et plus forts. Comme pour la proposition de l'intertexte de Malachie, les termes employés se trouvent dans un contexte de prophéties eschatologiques. Les deux textes parlent de l'œuvre que le Messie accomplira. Malachie utilise seulement un des termes de l'expression *il vous baptisera du Saint-Esprit et de feu* dans une métaphore qui ne se trouve pas ailleurs dans le message de Jean. Esaïe utilise les deux termes, « Esprit » et « feu », dans plusieurs métaphores employées par Jean dans sa prédication : un incendie, des arbres infructueux qui seront jetés au feu et le processus du vannage qui sépare les méchants du peuple fidèle. Un texte d'Esaïe est cité par Luc dans l'épisode consacré au ministère de Jean, et plusieurs expressions utilisées dans sa prédication semblent venir d'Esaïe : la colère à venir, l'annonce de la bonne nouvelle, les pierres devant les enfants de Dieu, et un feu qui ne s'éteint pas.

Exercice :

15.1.1 Lisez « Les allusions aux prophéties eschatologiques de l'Ancien Testament » dans *Bouleversé par l'Esprit*, p. 51-59, et notez en particulier les explications des deux parallèles qui mentionnent un jugement par le souffle de Dieu. Notez aussi les auteurs appelés à l'appui des allusions aux images du jugement dans la Septante (p. 54, note 6) et la réfutation d'autres auteurs proposant une allusion à d'autres textes (p. 55, note 7-8).

Chapitre 16

Le contexte historique

La communication écrite présuppose un grand nombre de connaissances en commun. Lorsque Paul parle de « ce siècle » (1 Cor 2.6), par exemple, il présuppose que ses lecteurs sont capables de comprendre le sens qu'il attribue à ce terme. Il ne donne aucune définition du terme. Dans notre contexte historique, nous pensons à une période de 100 ans, et nous positionnons chaque événement historique dans un siècle du calendrier grégorien. Nous vivons dans le 21ème siècle, un siècle caractérisé par une explosion d'informations. Le 20ème siècle était caractérisé par beaucoup de découvertes scientifiques. À l'époque du Nouveau Testament, les Juifs ne parlaient pas des siècles de cette manière. Ils parlaient plutôt de deux siècles : un « siècle présent » rempli de difficultés et de problèmes qu'ils subissaient en attendant « le siècle à venir » : quand Dieu interviendra pour résoudre les problèmes du siècle présent. Cette connaissance historique est nécessaire pour comprendre l'emploi de ce terme dans les textes de Paul.

Une connaissance du contexte historique est essentielle pour bien interpréter n'importe quel texte. Etant donné que les écrits du Nouveau Testament sont très éloignés de nous dans le temps et dans l'espace, le risque d'une mauvaise compréhension liée à un manque de connaissance du contexte historique est très grand.

Comment acquérir cette connaissance ? En principe, les étudiants qui lisent ce manuel d'exégèse ont déjà une certaine connaissance du cadre historique et de la culture biblique à l'époque du Nouveau Testament. Ils ont entendu des informations historiques dans certaines prédications, ou ils ont déjà lu certains commentaires bibliques, ou bien ils ont suivi des cours d'introduction au Nouveau Testament contenant de telles informations. Ces connaissances les aident à mieux interpréter et enseigner les passages bibliques. Mais il faut se rendre compte que l'on peut toujours en connaître plus. Certains savants consacrent leur vie à rechercher ces informations. La quantité d'informations disponibles aujourd'hui sur la période du Nouveau Testament dépasse la capacité humaine à la maîtriser. Même si l'on pouvait maîtriser la connaissance disponible de nos jours, beaucoup d'informations seraient encore manquantes. L'interprète de la Bible peut toujours améliorer son enseignement en augmentant ses connaissances du contexte historique de la Bible.

Il y a deux types de sources pour acquérir une connaissance du contexte historique du Nouveau Testament. Il y a les *sources primaires* : tous les écrits ou objets appartenant à l'époque du Nouveau Testament, et les *sources secondaires* : les conclusions et résumés tirées des sources primaires. L'interprète se sert de ces sources dans la mesure de leur disponibilité et du temps dont il dispose pour ce travail. La plupart du temps nous devons nous contenter des sources secondaires. Mais certaines sources primaires ne doivent pas être négligées.

Les sources primaires

Où peut-on trouver les sources primaires ? La première source à ne pas négliger est la Septante, une traduction de la Bible hébraïque en grec koïne contenant les livres canoniques de l'Ancien Testament et certains livres deutérocanoniques ou apocryphes. La plupart des citations bibliques dans le Nouveau Testament viennent de cette version. En tant que protestants, nous estimons que ces livres deutérocanoniques ou apocryphes ne sont pas utiles pour nous instruire dans la foi, mais qu'ils sont une excellente source du contexte historique, parce que l'époque de leur rédaction est proche de l'époque du Nouveau Testament, et parce que ces livres faisaient partie du répertoire religieux et social du peuple juif. Le premier livre des Maccabées est une bonne source de l'histoire de la lutte des Juifs, sous la direction de la famille Maccabée, contre les rois Séleucides depuis l'avènement d'Antiochus Epiphane à Jean Hyrcan (179-135 av. J.-C.). Le deuxième livre des Maccabées, qui raconte l'histoire juive depuis Séleucus IV (175 av. J.-C.) jusqu'à la mort de Nicanor (161 av. J.-C.), ne fait pas suite à 1 Maccabées et n'a pas la même valeur historique. Selon le Nouveau Dictionnaire Biblique, « Seuls les ch. 3 et 4 paraissent avoir une portée hist. réelle ».[120] Même si 2 Maccabées et les autres livres apocryphes n'ont pas une grande valeur historique, ils font partie du répertoire littéraire du peuple juif et sont une bonne source pour comprendre le vocabulaire et la culture du Nouveau Testament.

Les ouvrages de Flavius Josèphe, un historien juif du premier siècle, est une autre bonne source du contexte historique du Nouveau Testament. Dans *La guerre des* Juifs, il raconte l'histoire de la révolte des Juifs qui a précédé la destruction du Temple et de Jérusalem. *Vie* est une autobiographie de ses expériences dans cette période. Il raconte la longue histoire du peuple juif et fournit un grand nombre de détails sur la période des Maccabées et des Hérodes dans *Les antiquités Juives. Contre Apion* « est une défense du judaïsme, pleine de renseignements utiles sur les croyances et les coutumes des Juifs de la Diaspora ».[121]

En ligne, on peut trouver des copies de la littérature rabbinique, numérisées avec une traduction en français.[122] La Mishna, compilée vers le début du 3ème siècle ap. J.-C., est le premier recueil de la loi juive orale. Les sages juifs ont entrepris d'approfondir et d'élargir ce travail dans le Talmud. Le Talmud de Jérusalem a été compilé vers l'an 350 et le Talmud de Babylone vers l'an 500 ap. J.-C. Bien que ces recueils de lois juives représentent des anciennes traditions rabbiniques, il est difficile d'établir l'antiquité des traditions et de connaître quelles traditions représentent le pharisaïsme de l'époque du Nouveau Testament, mais c'est une des meilleures sources primaires que nous ayons sur la religion juive de l'époque du Nouveau Testament.

Les manuscrits de la Mer Morte, publiés en 40 volumes entre 1951 et 2009,[123] sont une bonne source d'information du contexte historique du Nouveau Testament. Environs 800 textes, écrits entre 250 ans avant J.C. et 68 ap. J.-C., jettent un éclairage direct sur la période néotestamentaire. L'œuvre d'André Dupont-Sommer, *Les Écrits esséniens découverts près de la mer Morte*,[124] décrit la vie et la religion des esséniens qui habitaient dans le désert judéen à l'époque du Nouveau Testament. Plusieurs manuscrits ont été numérisés et peuvent être consultés en ligne.[125] Mais ces manuscrits en hébreux sont difficiles à lire par des novices.

Les targums (prononcer « targoum ») désignent les traductions araméennes de la Bible hébraïque. Elles étaient utilisées pour faire comprendre les textes bibliques pendant les célébrations hebdomadaires de la synagogue. C'est probablement pour cette raison que certains commentaires sont insérés dans les textes. Ces traductions avec

---

[120] Edition révisée, éd. René Pache, Saint-Légier, Emmaüs, 1992, p. 95.

[121] Ibid., p. 698. Les *Œuvres complètes* de Flavius Josèphe, trad. par J. A. C. Buchon, sont disponibles en ligne à http://www.la-feuilledolivier.com/Bibliotheque-biblique/Flavius_Josephe_1852.pdf, consulté le 13 août 2022.

[122] La Mishnah et le Talmud de Jérusalem à https://www.sefaria.org/translations/fr ; le Talmud de Babylone à http://www.gpsdf.org/religions/le%20Talmoud%20de%20Babylone.pdf, consulté le 12 août 2022.

[123] *Discoveries in the Judean* Desert, publiés par Oxford University Press.

[124] Paris, Payot, 1959.

[125] http://dss.collections.imj.org.il/, consulté le 13 août 2022.

commentaires nous aident à comprendre comment les Juifs de l'époque du Nouveau Testament comprenaient les Ecritures.

Les sources grecques sont très nombreuses. C. K. Barrett fournit une bonne liste annotée de sources présentées au début de sa collection d'extraits de documents importants pour comprendre le milieu du Nouveau Testament.[126] Voici quelques sources selon les catégories de Barrett :

1. L'empire romain

   Res gestae divi Augusti (*Actes du divin Auguste*) – Le premier empereur romain offre un compte-rendu à la première personne de ses actions et de ses réalisations.

   Annales et *Histoires* – L'historien grec, Tacite, raconte l'histoire de l'empire depuis l'époque des Julio-Claudiens jusqu'au règne de Domitien.

   Vie des douze Césars – *Suétone* rassemble les biographies de Jules César à Domitien.

2. Les papyri

   Les *Papyri d'Oxyrhynque* sont un ensemble de papyri grecs anciens trouvés sur le site d'Oxyrhynque en Egypte, publiés en 48 volumes entre 1898 et 1981. Ces manuscrits ouvrent une fenêtre sur la vie quotidienne dans l'empire romain.

3. Les inscriptions

   Sylloge inscriptionum graecum, 2 volumes, Leipzig, 1883 – une collection d'inscriptions en grec du 6ème siècle av. J.-C. jusqu'à 565 ap. J.-C., de la Grèce et de l'Asie mineur, éditée par Wilhelm Dittenberger. Les commentaires sont écrits en latin.

4. Les philosophes et les poètes

   La République, par Platon, offre une introduction à la fois à sa pensée philosophique et politique.

   Epicure : Œuvres majeures et annexes – une collection d'œuvres du fondateur d'épicurisme

   Vie d'Apollonios de Tyane par Philostrate – offre une image de ce philosophe itinérant et de la vie gréco-romaine.

5. Philon

   De Abrahamo – Philon raconte l'histoire biblique et en tire des leçons morales.

Les sources secondaires

Les sources secondaires sont très nombreuses. Il faut savoir où trouver ces sources et comment les évaluer. Ce qui suit vise à orienter l'étudiant vers une connaissance des ressources disponibles à la Faculté de Théologie Evangélique de l'Alliance Chrétienne. Mais on peut trouver de pareilles sources dans d'autres bibliothèques et en ligne.

Où trouver les sources secondaires ?

1. *Les sources consacrées à la connaissance générale de toute la Bible* : On peut trouver des dictionnaires, encyclopédies et atlas dans les rayons usuels de la bibliothèque. *Le Nouveau dictionnaire biblique*, édité par Emmaüs, est une excellente source secondaire d'information historique. Il vaut la peine de s'en procurer un exemplaire et de le consulter pour améliorer sa compréhension du vocabulaire de la Bible. Mais les dictionnaires multi volumes contiennent plus d'information et sont plus utiles pour les études plus soigneuses. Par exemple, *le Nouveau dictionnaire biblique* explique l'idée de la séparation de l'histoire en deux « siècles » et donne plusieurs textes bibliques pour soutenir cette idée (p. 1212-13). Mais l'article sur le terme dans le *Theological Dictionary of the New Testament* en 10 volumes, édité par Gerhard Kittel, nous informe aussi

---

[126] *The New Testament Background : Selected Documents*, édition révisée, San Francisco, Harper et Row, 1987, p. xxiii-xxix.

que l'idée de la séparation de l'histoire en deux siècles est empruntée à la littérature apocalyptique juive, et donne des exemples de cette littérature (Vol. 1, p. 206-07) ; des informations que nous ne trouvons pas dans le *Nouveau dictionnaire biblique*.

Un parcours des rayons de la bibliothèque révèle un bon nombre de dictionnaires et encyclopédies. En français nous notons, entre autres, le *Dictionnaire de la culture biblique* par Maurice Carrez et le *Dictionnaire encyclopédique de la Bible* publié par Brepols. En anglais nous notons *The Interpreters Dictionary of the Bible*, *The Anchor Bible Dictionary* et les deux éditions de *The International Standard Bible Encyclopedia*.

2. *Les sources consacrées à différentes sections de la Bible et à différents sujets précis* : Il serait avantageux de parcourir les rayons de la bibliothèque consacrés à la connaissance historique de la Bible afin de se familiariser avec les ressources disponibles. Nous suggérons les rayons suivants : le monde de la Bible, le monde du Nouveau Testament, la géographie biblique, l'archéologie biblique, l'introduction à la Bible, l'introduction au Nouveau Testament, les introductions pour les différentes sections du Nouveau Testament (Evangiles, Paul, etc.). Les introductions à la théologie contiennent aussi certaines informations historiques.

3. *Les sources consacrées à différents livres de la Bible* : Il s'agit ici des commentaires et des œuvres qui examinent différents livres dans la Bible ou des sujets dans ces livres. On peut parcourir les rayons consacrés aux différents livres de la Bible et effectuer des recherches informatiques sur les sujets en particulier.

Comment évaluer les sources secondaires ?

Nous devons nous souvenir que chaque source secondaire interprète les données acquises par un examen des sources primaires. L'exégète n'a souvent ni la connaissance nécessaire ni le temps disponible pour consulter et évaluer les sources primaires. Ainsi, l'exégète est obligé de s'informer par les études des autres. Mais notre confiance en ces ouvrages ne doit pas être aveugle. Nous suggérons quatre pistes de réflexion pour l'évaluation les sources secondaires.

1. *La source représente-t-elle le travail et l'interprétation d'un chercheur ou d'une équipe de chercheurs ?* En principe, les sources qui réunissent le travail de plusieurs chercheurs sont plus fiables que le travail d'un individu. Même si l'article sur un tel sujet est écrit par un seul auteur, si cet article se trouve dans un travail en collaboration, il sera lu et évalué par les éditeurs de l'œuvre.

2. *La source cite-t-elle ses sources ?* En principe, les sources qui citent leurs sources sont plus fiables que celles qui ne les citent pas. L'auteur qui veut souligner la validité de son information cite la source de cette information. Ceci n'est pas toujours vrai concernant des informations pour lesquelles il y a un consensus d'opinion, ou pour les auteurs plus anciens. Le souci de donner l'information bibliographique est assez récent.

3. *La source représente-t-elle des présuppositions inacceptables ?* Par exemple, une œuvre dont les chercheurs sont tous catholiques représentera favorablement les dogmes catholiques. Ceci ne veut pas dire que l'œuvre est à rejeter. Pour un grand nombre de sujets l'Eglise catholique n'a pas de dogme officiel que les chercheurs sont obligés de soutenir. Le même type de présupposition peut fausser l'interprétation des données par des chercheurs voulant soutenir les distinctifs d'un groupe protestant : calvinistes, pentecôtistes, évangéliques, etc. Les présuppositions liées à la conception de l'histoire peuvent aussi fausser l'interprétation. Certains auteurs modernes, par exemple, veulent interpréter toute l'histoire selon le modèle de l'évolution. Selon ces

auteurs, les idées, les doctrines, etc., ont dû suivre une évolution du plus simple au plus développé. Les documents interprétés en fonction d'un tel principe deviennent très souvent pour eux des compilations de sources multiples rédigées et cousues ensemble par des éditeurs plus récents. L'attribution des différentes données d'un texte à plusieurs époques selon le degré de développement de la pensée peut fausser l'image de l'histoire des différentes époques. Pour chaque source, l'exégète doit essayer de discerner les présuppositions de l'auteur et évaluer les conclusions en fonction de ces présuppositions.

4. *La source représente-t-elle les recherches les plus récentes ?* Notre connaissance du contexte historique du Nouveau testament s'est énormément développée ce dernier siècle. Les découvertes des manuscrits de la Mer Morte, des trouvailles dans de nombreuses fouilles archéologiques et le nombre grandissant d'études consacrées au contexte historique ont considérablement ajouté à la connaissance disponible. En principe, les études plus récentes sont plus fiables que les études anciennes.

L'exemple de l'attente messianique

Quelles sont les connaissances historiques sous-jacentes à la notion de l'attente messianique relevée dans la question des interlocuteurs de Jean-Baptiste (Luc 3.15) ? La recherche d'emplois des termes « attente » et « messie » dans les sources secondaires n'est pas toujours utile pour trouver des articles, parce qu'on peut trouver des informations dans les articles qui parlent du Messie, mais qui ne mentionnent pas explicitement le terme Messie. Donc, il faut consulter et évaluer des articles ou livres qui parlent du sujet. Si le temps le permet, il est bon de consulter les sources primaires citées par les sources secondaires pour vérifier la validité de leurs conclusions, surtout si nous avons un doute sur leurs présuppositions. Il faut chercher dans les dictionnaires ou encyclopédies bibliques ou théologiques. On peut peut-être trouver la référence à une œuvre dans un commentaire sur le passage que nous examinons. Comme l'attente messianique est un sujet assez précis, il faut probablement chercher d'abord des articles sur le Messie et lire les paragraphes qui parlent de l'attente messianique juive à la période du Nouveau Testament. Nous avons trouvé une bonne source en français dans le premier volume de la *Théologie du Nouveau Testament* par G. E. Ladd.[127] On peut aussi chercher dans les ouvrages sur le monde du Nouveau Testament. Eduard Lohse a une bonne discussion intitulée « Le salut à venir » dans *Le milieu du Nouveau Testament*.[128]

Conseils pour la rédaction d'une dissertation exégétique

Dans une dissertation exégétique, nous ne cherchons pas à décrire l'époque historique de notre texte. Il faut choisir les éléments de cette époque qui sont pertinents pour répondre à notre question exégétique. Par exemple, l'épisode consacré au ministère de Jean-Baptiste précise la période du ministère de Jean en nommant les autorités civiles et religieuses de cette époque. Cette information est utile pour fixer le temps de son ministère au début du premier siècle. Ceci nous aide à préciser le contexte historique de Jean et de ses auditeurs. Mais l'information historique sur chacune de ces autorités n'est pas utile pour répondre à notre question exégétique. Donc, cette information n'est pas nécessaire et ne devrait pas être incluse dans la dissertation.

Il faut présenter les éléments utiles pour l'interprétation de votre texte et expliquer leur importance. Etant donné que la connaissance de ces données historiques vient des sources primaires et secondaires, il faut indiquer les sources de vos informations. Il ne faut pas affirmer une information que vous avez seulement entendue une fois dans une prédication

---

[127] Traduit de l'anglais sous la direction de Jean Michel Sordet, Paris, Presses bibliques universitaires/Sator, 1984, p. 167-79.
[128] Paris, Cerf, 1973, p. 237-48.

Exercices :

16.1.1 Lisez *Bouleversé par l'Esprit*, p. 59-62 et décrivez l'attente messianique la plus courante à l'époque de Jean-Baptiste. Décrivez comment cette compréhension de l'attente messianique pourrait aider à comprendre la phrase : *il vous baptisera du Saint-Esprit et de feu.*

16.18.1 Lisez deux ou trois articles sur la ville d'Alexandrie en Egypte à l'époque du Nouveau Testament. Il faut les trouver dans un dictionnaire biblique, dans une encyclopédie biblique, dans un commentaire biblique ou dans un autre ouvrage biblique. Un dictionnaire moderne communiquera surtout des informations sur la ville d'aujourd'hui. Quelles informations dans la description de cette ville pourraient être utiles pour mieux comprendre la description d'Apollos dans Actes 18.24-26 ? Pourquoi ?

Chapitre 17

Le contexte moderne

Selon le schéma suivi depuis le début du cours nous retenons le terme contexte pour ce chapitre. On pourrait l'appeler « L'application du message ». Nous insistons sur le terme « contexte » afin de souligner l'importance de la contextualisation du message. Il faut comprendre ici que le contexte moderne se distingue des autres contextes (littéraire, intertextuel et historique) en ce qu'il n'est pas lié à la compréhension du texte original. La tâche de l'exégète et du prédicateur est de comprendre le message de Dieu dans son contexte original (littéraire, intertextuel et historique) et de le transmettre à ses contemporains vivant dans un contexte moderne. On peut appeler ce processus la contextualisation du message. Le message est adapté et redit dans un nouveau contexte. Si nous voulons que l'impact et le sens du message ne changent pas, nous devons l'adapter pour chaque nouveau contexte historique. La logique de cette affirmation est assez simple. Si le sens du texte est déterminé par son contexte (littéraire, intertextuel et historique) et nous annonçons exactement les mêmes paroles dans un nouveau contexte historique, le message ne sera plus le même. Il faut adapter le message au nouveau contexte historique pour qu'il soit l'équivalent du premier message. Nous visualisons ce processus dans le graphique suivant.

Figure 24 : La contextualisation du message

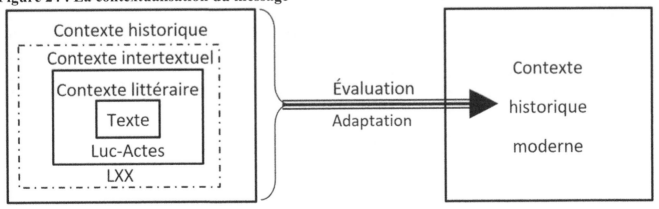

L'application du message du texte biblique à la vie d'aujourd'hui est le but final de l'exégèse pour le prédicateur et pour chaque chrétien. 2 Timothée 3.16 nous informe que « *toute l'Écriture est inspirée de Dieu, et utile pour enseigner, pour convaincre, pour corriger, pour instruire dans la justice* ». Cela ne veut pas dire que toute l'Écriture est applicable directement à la vie d'aujourd'hui, sans un travail préalable d'évaluation et d'adaptation. Le Dieu de la Bible est un Dieu qui parle aux êtres humains dans leurs circonstances. Dans la Bible, la Parole de Dieu est toujours adaptée à une situation précise. La tâche de l'exégète est de comprendre cette Parole dans son contexte et de transmettre l'équivalent du message dans un nouveau contexte. Ce travail exige une évaluation des différences entre les deux contextes historiques et une adaptation du message au nouveau contexte. Cette adaptation n'est pas une licence pour changer le message afin qu'il convienne à nos idées. Mais l'adaptation est nécessaire afin que le message ait le même impact que le message original avait dans son contexte historique. C'est dans ce processus d'application que nous revenons au concept d'équivalence fonctionnelle proposé par Nida (p. 62). En effet, un bon travail d'exégèse doit précéder toute bonne traduction de type dynamique. Il faut comprendre l'impact du message dans son contexte original afin de reproduire l'équivalent naturel dans un nouveau contexte. De même, une bonne compréhension exégétique est le précurseur d'une bonne application.

L'évaluation et l'adaptation

Beaucoup de choses ont changé depuis 20 siècles. Les moyens de transports et de communication, la manière de vivre, de travailler, d'interagir avec d'autres et même de penser ont énormément changé depuis le temps du Nouveau Testament. Notre prédication doit tenir compte de tous ces changements. Par exemple, l'exhortation aux femmes qu'elles *ne se parent ni de tresses, ni d'or, ni de perles, ni d'habits somptueux* représente les notions d'être *vêtues d'une manière décente, avec pudeur et modestie* (1 Tim 2.9) à l'époque du Nouveau Testament et dans le milieu social de l'empire romain. Le besoin des femmes de se vêtir d'une manière décente, avec pudeur et modestie n'a pas changé. Mais la manière de définir ce qui convient à cette description change selon la culture et l'époque. Il est douteux que les tresses de cheveux aient la même valeur dans une culture africaine au 21ème siècle. Donc, répéter cette exhortation mot pour mot dans notre contexte historique aujourd'hui serait une manière de changer la Parole de Dieu. Par la répétition de la même exhortation dans un nouveau contexte, nous sommes en train d'attribuer à la Parole de Dieu un message qui n'est pas selon l'intention de son auteur, et peut-être même contre son intention.

Mais, d'un autre côté, il ne faut pas laisser la culture définir la « manière décente, avec pudeur et modestie », de se vêtir. La culture encourage assez souvent une expression de la chute de l'humanité et ne saurait définir l'éthique biblique. La culture joue son rôle dans la définition de l'éthique, mais la révélation biblique doit corriger les notions tordues dans les mœurs de la culture.

Beaucoup de discussions sur la contextualisation soulignent les différences entre cultures et entre contextes historiques. Mais il faut aussi souligner les ressemblances. La condition humaine n'a pas changé. Nous sommes pécheurs avec une tendance égoïste. Nous sommes tentés de dévier du droit chemin comme nos ancêtres dans la Bible. Puisque le message biblique vise surtout à rectifier la condition humaine (le salut dans tous les sens), pour ce qui concerne l'application du message biblique, les choses qui n'ont pas changé sont de loin plus nombreuses que celles qui ont changé. C'est pourquoi les exégètes qui croient pouvoir appliquer les exhortations bibliques « littéralement » à la vie d'aujourd'hui peuvent aussi ne pas être trop loin de la vérité. Un très grand nombre d'exhortations peuvent être appliquées sans beaucoup d'adaptation.

Mais en réalité, l'application implique toujours une adaptation au nouveau contexte historique. Personne n'applique « littéralement » toutes les exhortations bibliques à la vie aujourd'hui. Tous, sans exception, adaptent le message de la parole de Dieu à leur situation. Par exemple, l'exhortation *Tu ne tueras pas* (Ex 20.13) semble être universelle (pour toutes les cultures) et permanente (pour toute l'histoire de l'humanité). Mais, même si l'on décide que le terme parle plus précisément du meurtre, la définition de « tuer » doit être précisée dans notre situation historique. Au moment de la proclamation de cette loi, les médecins n'avaient pas la capacité de maintenir « en vie » une personne qui cessait de fonctionner par ses propres forces. Est-ce un meurtre de débrancher les machines et laisser une telle personne mourir ? On n'avait pas non plus la capacité de résoudre les problèmes d'infertilité par la fécondation in vitro. Le processus produit un surnombre d'embryons fertilisés. Est-ce un meurtre d'éliminer les embryons surnuméraires ? Les réponses à ces questions impliquent une évaluation et une adaptation du message pour un nouveau contexte historique.

La contextualisation du message

Puisque tous adaptent ou contextualisent le message de la Bible dans leur application, l'exégète doit demander *comment* on doit contextualiser ce message afin de proclamer fidèlement la Parole de Dieu ? Nous proposons 5 recommandations à suivre pour faire une bonne application de la Parole de Dieu.

1. *Il faut reconnaître le besoin de contextualisation.* Si l'on imagine qu'il faut tout simplement appliquer « littéralement » la Parole de Dieu à notre vie, une adaptation sera faite, mais cette adaptation ne sera pas réfléchie et risquera de représenter les présupposés de l'exégète plus que l'intention de l'auteur biblique.

2. *Il faut chercher l'aide du Saint-Esprit dans la méditation de la Parole.* La méditation veut dire que l'on soumet le texte à une longue et profonde réflexion. Le but de cette réflexion est l'obéissance au message contenu dans le texte médité (Jos 1.8). Notre nature pécheresse peut nous empêcher de bien réfléchir et nous conduire à appliquer la Parole à notre vie d'une manière qui plait à cette nature. Il faut l'aide du Saint-Esprit qui *conduira dans toute la vérité* (Jn 16.13). On ne doit pas attendre jusqu'à la fin de l'exégèse pour exercer cette réflexion soutenue par la prière. Cette manière de réfléchir et prier devrait accompagner tout le travail de l'exégèse.

3. *Il faut évaluer les différences entre le contexte historique du texte et le contexte historique d'aujourd'hui.* Dans l'exemple de la parure des femmes (1 Tim 2.9), nous avons suggéré qu'il y a une différence entre les deux contextes concernant la signification des tresses de cheveux, et peut-être la signification des autres exemples donnés. L'évaluation des différences permet de déterminer comment il faut adapter le message.

4. *Il faut discerner le type de texte et le type d'application approprié pour ce type de texte.* S'agit-il d'exhortations ou de commandements auxquels obéir ou d'un récit donnant des exemples à suivre ou à ne pas suivre ? L'évaluation des différences entre ces deux types de contextes historiques donnera souvent des indices concernant l'applicabilité du texte.

   Selon le type de texte, il faut chercher les indices donnés par l'auteur dans le contexte littéraire concernant l'applicabilité de son texte. Y a-t-il des indices que les exhortations sont adressées à une situation unique ? Les lettres du Nouveau Testament sont toutes adressées à un contexte précis qu'il faut prendre en considération dans l'application des exhortations contenues dans la lettre. Pour un récit, l'auteur donne-t-il des indications pour comprendre qu'il raconte des exemples à suivre ou à ne pas suivre ? Y a-t-il des indices que l'auteur utilise des exemples pour encourager ou décourager une pratique ou une conduite ?

5. *Il faut déterminer les principes bibliques sous-jacents au passage.* Nous croyons que pour chaque exhortation biblique, voire chaque passage biblique, il y a un ou plusieurs principes bibliques qui sont mis en application par l'exhortation ou par l'exemple raconté. C'est pourquoi *toute l'Écriture est… utile…* (2 Tim 3.16). Pour le cas de la parure des femmes (1 Tim 2.9), le texte indique que les détails de parure donnés ne correspondent pas à une manière « décente » de se vêtir avec « pudeur » et « modestie ». Il faut bien sûr comprendre la définition de ces termes afin de bien adapter ce message à un nouveau contexte historique. Mais il faut aussi comprendre le besoin humain ou la difficulté humaine que cette exhortation est censée adresser. S'agit-il de l'orgueil et de la vanité des femmes ? L'auteur veut-il réduire les comparaisons et la concurrence entre femmes ? S'agit-il d'un problème de tentation ? L'auteur veut-il réduire le niveau de tentation expérimenté par les hommes, encouragé par la conduite vestimentaire des femmes ? S'agit-il de divisions éventuelles dans l'église causées par les différents niveaux sociaux ? Il faut étudier le texte dans son contexte littéraire, intertextuel et historique pour répondre à ces questions.

6. *Il faut chercher des détails analogues dans le nouveau contexte historique qui répondent aux mêmes principes sous-jacents.* Dans l'exemple de la parure des femmes, s'il s'agit d'un problème d'orgueil et de vanité des femmes, il faut trouver des formes de parures contemporaines qui suscitent une comparaison et une concurrence entre les femmes et encourager les femmes à ne pas participer à cette concurrence. S'il s'agit

d'un problème de tentation pour les hommes, il faut déterminer les formes de parures qui attirent le regard malsain des hommes et encourager les femmes à se vêtir différemment. S'il s'agit d'un problème de niveau social, il faut déterminer les formes de parures qui divisent les femmes et les encourager à se vêtir d'une manière qui favorise l'unité.

Conseils pour la rédaction d'une dissertation exégétique

L'application du message biblique au contexte moderne est une tâche difficile à faire correctement. Chaque texte biblique s'adresse à un contexte historique précis, même si nous avons du mal à l'identifier et à le décrire. Dans l'application, nous voulons contextualiser le message pour répondre aux besoins dans un nouveau contexte. Notre contexte n'est pas forcément le même que celui de notre prochain. Ainsi, les conclusions que l'exégète veut présenter dans une dissertation pour l'application d'un texte devraient souvent être exprimées d'une manière moins définitive. Il vaut mieux parler de pistes de réflexion et de suggestions pour l'application que de conclusions fixes. Selon l'ambiguïté de l'application dans le nouveau contexte, il faut laisser la place à l'Esprit de Dieu pour préciser l'application au contexte de chaque culture et de chaque groupe, surtout si le messager n'est pas un membre de la culture pour laquelle il veut préciser l'application.

Exercices :

17.1.1 Dans le texte d'Ac 1.4-8, Jésus exhorte ses disciples à ne pas partir de Jérusalem, mais à attendre la promesse du Père, une promesse liée à la proposition : *vous serez baptisés du Saint-Esprit*. Réfléchissez à l'applicabilité de cette exhortation. Est-elle valable aujourd'hui ? Y a-t-il un exemple à suivre ? Comment contextualiser l'application du principe biblique illustré par ce passage à notre nouveau contexte historique ?

17.1.2 Lisez *Bouleversé par l'Esprit*, chapitre 9, et répondez aux questions suivantes :

Comment Jean-Baptiste et les disciples de Jésus ont-ils mal contextualisé la promesse de la délivrance que le Messie devait réaliser ?

Quelles sont deux grandes différences entre notre situation historique et celle de l'Eglise primitive qu'il faut prendre en considération dans l'évaluation de l'applicabilité des expériences racontées dans les Actes des apôtres ?

Quels sont 2 arguments tirés du texte de Luc-Actes qui indiquent que Luc s'attendait à ce que ses lecteurs aient des expériences avec l'Esprit semblables à celles de l'Eglise primitive ?

Quels sont 6 arguments tirés du texte qui soutiennent l'idée qu'il faut activement rechercher une onction prophétique telle que celle promise par Joël ?

17.18.1 Apollos *ne connaissait que le baptême de Jean* (Ac 18.25). Priscilla et Aquilas l'ont pris avec eux, et lui ont exposé *plus exactement la voie de Dieu* (18.26), mais ils ne l'ont pas rebaptisé au nom de Jésus. Les disciples à Ephèse ne connaissaient que le baptême de Jean et Paul les a faits rebaptiser. Y a-t-il des indices dans le texte qui peuvent expliquer ces deux actions ? Sur quel principe biblique les disciples à Ephèse ont-ils été rebaptisés ? Aujourd'hui, aucun croyant ne connait que le baptême de Jean. Selon les principes suivis par Priscilla, Aquilas et Paul, dans quelles circonstances faut-il rebaptiser un croyant ?

Chapitre 18

L'exégèse et l'exégète

Conseils pour l'emploi de l'exégèse dans le ministère

Jusqu'ici nous avons examiné les différentes tâches d'exégèse en vue de répondre à une question exégétique pour une dissertation. Etant donné que les serviteurs et servantes de Dieu auront plus d'occasions de s'en servir pour une prédication ou pour un enseignement, il faut réfléchir à la manière de procéder si nous n'avons pas de temps à consacrer à une étude si détaillée. Quelles sont les étapes les plus importantes et comment pouvons-nous suivre ces étapes d'une façon moins détaillée afin de pouvoir nous en servir lorsque nous avons moins de temps ? Nous commencerons par une évaluation de l'importance relative des différentes tâches exégétiques.

Au début de ce manuel, nous avons proposé de commencer le travail exégétique en déterminant *le problème exégétique* auquel nous voulons trouver une solution. Lorsque vous préparez un message ou un enseignement, il est rare que vous vouliez répondre à une seule question exégétique. Le plus souvent vous voulez communiquer le message d'un passage biblique. Donc, vous ne voulez pas trop focaliser sur un problème exégétique dans la préparation pour un message ou un enseignement. Vous voulez consacrer votre temps à l'étude du passage. Ceci dit, il faut quand même identifier le ou les éléments exégétiques les plus importants pour communiquer votre message et passer plus de temps à étudier ces éléments.

Pour préparer un message, la *revue de la littérature* qui traite votre passage devient moins importante simplement parce que vous n'avez pas vraiment le temps de consulter suffisamment de commentaires pour connaître les différentes positions. Si vous prêchez sur un sujet à controverse, il faut essayer de comprendre les interprétations majeures. Si non, il faut consacrer votre temps à l'étude du passage afin de pouvoir bien expliquer le message présenté dans le passage.

Nous pensons qu'une petite réflexion au début de votre préparation dans le but de proposer *les pistes de recherches* qui vous semblent les plus utiles peut vous aider à économiser votre temps. Mais au lieu de suggérer des pistes pour répondre à une question, il faut proposer des pistes pour mieux comprendre et communiquer le message du passage. Quels sont les mots de vocabulaire dont il faut préciser le sens ? Est-ce que je comprends bien la logique du passage ? Le sujet que je veux aborder est-il répété ailleurs dans le livre ? Le passage parle-t-il d'éléments culturels différents des nôtres ?

Pour la majorité des textes, nous pensons que ce n'est pas un bon usage du temps que d'examiner *la critique textuelle,* dans les préparations pour un message ou un enseignement à donner dans une église. Si le texte que vous enseignez indique par des crochets ou par une note en bas de page dans la version que vous lisez qu'il ne s'agit peut-être pas du texte original, il vaut la peine de regarder le commentaire de Metzger, *A Textual Commentary on the Greek New Testament*, sur la critique textuelle du passage.

Pour examiner *la structure* du texte, nous suggérons que le prédicateur qui ne se souvient pas bien de son grec lise son texte en français et en grec en même temps en utilisant un logiciel ou une version interlinéaire grec-français. (Il est souhaitable de faire l'examen de la structure directement en grec, mais nous constatons que cet objectif est trop ambitieux pour la majorité des prédicateurs ayant seulement la connaissance du grec acquise pendant leurs études théologiques. Il vaut mieux examiner le texte en grec avec le texte en français que de négliger carrément le texte grec.)

Il faut essayer de suivre la logique de la succession des propositions de votre texte. Il faut noter comment l'auteur utilise des conjonctions et comment les traducteurs ajoutent des conjonctions qui ne sont pas explicites en grec et omettent des conjonctions qui sont explicites en grec. Attention ! Parfois la logique indiquée dans la traduction en français vient d'un participe ou d'une autre forme grammaticale en grec.

Si vous n'arrivez pas à comprendre comment le texte grec a produit la traduction que vous lisez, examinez d'autres traductions afin de voir si les autres le traduisent de la même manière. Parfois les traducteurs utilisent des mots et expressions qui ne correspondent pas formellement aux mots et expressions en grec dans le but de communiquer l'équivalent naturel en français du message en grec. Une telle traduction ne suit pas de près le texte grec. Même si l'expression en français communique un sens équivalent, elle n'exprime pas forcément la logique du texte. Il faut parfois trouver une traduction qui a suivi le principe d'une correspondance formelle pour comprendre la logique du texte, même si vous décidez d'utiliser une traduction d'équivalence dynamique pour la prédication. Si vous n'arrivez toujours pas à comprendre le texte en grec, c'est probablement votre connaissance du grec qui est insuffisante. Dans ce cas, vous devez faire confiance aux traducteurs. Une révision de votre grec serait bien, mais vous n'avez probablement pas le temps de le faire dans le temps consacré à la préparation de votre enseignement.

Pour mieux comprendre *le vocabulaire* du texte, nous suggérons des recherches du sens précis des termes importants pour votre message dans un ou deux lexiques bibliques comme ceux de Thayer, Moulton-Milligan, Liddell-Scott-Jones, Louw-Nida ou BDAG en anglais ou un dictionnaire grec-français comme celui de J. Strong dans le logiciel BibleParser.

Même si vous faites beaucoup de recherches en grec, nous vous conseillons d'éviter de trop citer le grec dans vos enseignements. Sinon, vous donnez l'impression que l'on ne peut pas bien comprendre la Bible sans étudier le grec. Si la traduction en français exprime quasiment la même chose que le texte grec, il faut simplement donner des explications en français. Il faut citer le texte grec quand vous ajoutez à votre enseignement une connaissance qui n'est pas évidente dans le texte en français. Dans ce cas vous pouvez citer le grec afin de montrer à vos auditeurs d'où viennent vos affirmations.

L'examen du *contexte littéraire* est de loin la tâche la plus importante pour la compréhension d'un texte. Si vous arrivez à suivre le fil de la pensée de l'auteur dans l'épisode ou dans la péricope que vous examinez, vous aurez l'assurance de faire une bonne interprétation de votre texte. En faisant rapidement la recherche des répétitions de vos termes importants dans le livre, vous trouverez probablement des passages qui vous aideront à bien interpréter votre passage. En général, ces recherches peuvent être faites en français. Ceci veut dire qu'on peut enseigner l'essentiel de la méthodologie à ses paroissiens, leur permettant de faire eux aussi une bonne exégèse. Mais si l'exégète a le temps, il serait bien de vérifier les articulations de la logique de l'épisode en grec et de chercher les répétitions du vocabulaire en grec. Si vous vous habituez à faire ce travail avec un logiciel en examinant le texte en grec et en français en même temps, vous verrez que l'exercice ne prendra pas trop de temps.

Pour connaître rapidement *le contexte intertextuel* d'un texte, il faut simplement consulter les références en parallèle données dans la marge ou en bas de la page dans différentes versions. Toutes les références données ne sont pas de vrais parallèles, mais de vrais parallèles seront probablement parmi les références données. Une étude rapide de ces textes dans leurs contextes peut ajouter beaucoup à un enseignement. Si le prédicateur donne de bonnes explications, les auditeurs peuvent commencer à comprendre l'importance des textes de l'Ancien Testament pour comprendre le Nouveau.

Les informations pertinentes venant du *contexte historique* sont plus difficiles à trouver, mais souvent très utiles pour une bonne présentation du texte. Parfois on découvre des éléments du contexte historique dans les recherches de vocabulaire. On peut aussi consulter un ou deux bons commentaires. Si les deux mentionnent les mêmes données historiques, on peut probablement leur faire confiance. Le *Nouveau dictionnaire biblique* est aussi une bonne source pour cette information.

La tâche d'examiner le contexte moderne dans le but de formuler une ou plusieurs applications actuelles nous semble aussi très importante pour la préparation d'un message ou d'un enseignement biblique. Le but ultime de l'exégèse dans notre ministère est la mise en pratique de la parole de Dieu. Cette mise en pratique doit être facilitée par des enseignants qui savent non seulement interpréter le message d'un texte biblique, mais qui savent aussi le contextualiser pour l'Eglise aujourd'hui.

Conseils pour préparer un message exégétique

1. Choisissez un bref passage dont le message vous semble utile pour votre contexte.
2. Déterminez les limites de l'épisode, ou de la péricope, dans lequel se trouve votre texte.
3. Lisez l'épisode en français en prêtant attention aux articulations logiques reliant les paragraphes. Essayez d'établir le fil de la pensée de l'auteur. Comment son message progresse-t-il dans l'épisode ? Quel est le rôle joué par votre texte dans cette progression. Si vos conclusions se basent sur les conjonctions en français, vérifiez vos conclusions en examinant le même texte en grec. Déterminez comment le fil de la pensée informe ou éclaire le message de votre texte. Lisez encore votre texte en prêtant attention aux articulations logiques entre les phrases et les propositions. Comment cette progression logique éclaire-t-elle le message de l'auteur ?
4. Choisissez les termes de vocabulaire dans votre texte qui vous semblent importants pour la compréhension du message de l'auteur. Le nombre peut varier selon le texte. Cherchez à préciser le sens de ces termes en consultant un ou deux lexiques ou dictionnaires bibliques. Comment ces précisions éclairent-elles le sens du message ? Cherchez la répétition des termes importants de votre texte dans l'ensemble du livre et examinez-les dans leurs contextes. Comment l'emploi des termes dans le livre éclaire-t-il le sens du message que vous enseignez ?
5. Cherchez et lisez des références en parallèles données dans votre version pour le texte que vous examinez. Y a-t-il des passages qui ressemblent suffisamment à votre texte pour soupçonner un lien intertextuel ? L'auteur s'est-il inspiré d'un autre texte biblique ? Comment cet autre texte éclaire-t-il le message de votre texte ?
6. Lisez un ou deux bons commentaires pour vérifier les conclusions de votre travail. Il vaut mieux suivre ce conseil en dernier. Si vous lisez un commentaire un premier, vous serez influencé par les conclusions de l'auteur et vous n'allez peut-être pas voir les choses pertinentes pour votre contexte. Si vous êtes trop attaché aux commentaires, vous risquez de donner des messages moins pertinents pour votre contexte et, donc, plus ennuyeux. Pour bénéficier de votre lecture de commentaires, il faut poser des questions selon les études que vous avez faites vous-mêmes sur le texte. L'auteur du commentaire a-t-il discerné le même message que vous ? A-t-il mentionné d'autres détails que vous n'avez pas remarqués ? Ses arguments sont-ils valables selon l'étude que vous avez faite ? Voulez-vous changer vos conclusions ou peut-être vous servir de certaines de ses observations ? A-t-il donné des informations historiques ou culturelles qui éclairent davantage le message de l'auteur ?
7. Pour la rédaction (grandes lignes ou texte écrit) de votre message ou enseignement, il faut trier, trier, trier l'information que vous avez glanée durant votre préparation. Il faut vous servir seulement de l'information qui éclaire le message pour vos auditeurs, ou qui leur sera intéressante et utile pour leur connaissance biblique en général. Vous n'avez pas le temps de leur donner toutes les observations que vous avez tirées du texte. Même si

un temps suffisant vous est accordé pour donner le message, les gens vont cesser de vous écouter après une période raisonnable et ils n'entendront pas ce que vous considérez être le plus important.

8. Il faut bien réfléchir sur votre contexte moderne afin de proposer au moins une mise en application concrète pour votre texte. Trop souvent, les prédicateurs n'investissent pas assez de temps dans la préparation de cette partie du message, et ils donnent une application trop généralisée qui n'aide pas vraiment les fidèles à avancer dans leur foi. Nous pensons qu'il faut consacrer au moins un quart de votre temps à réfléchir sur la mise en application. Ne tombez pas dans le piège de donner une mise en application appropriée à votre contexte, mais qui n'est pas une application légitime de votre texte. Vos auditeurs devraient pouvoir discerner et apprécier la logique qui vous conduit à cette application. Sinon, ils arriveront à la conclusion que seulement le prédicateur est capable de faire des applications de la Parole de Dieu.

Vous n'êtes pas obligé d'attendre la fin de votre message pour parler des applications. Une fois que vous avez discerné des applications légitimes pour votre texte (une tâche qui devrait suivre vos études de la compréhension du texte), vous pouvez ajouter des illustrations et récits venant de votre vie ou de la vie des autres aux explications du texte. Ceci rendra votre message plus vif et plus abordable. Souvent je constate que les messages donnés par des personnes n'ayant pas suivi de cours de théologie sont moins corrects mais plus intéressants que les messages des serviteurs qui ont suivi des études théologiques. Il ne faut pas tomber dans le piège de vouloir impressionner vos auditeurs avec votre connaissance théologique. Il faut vous servir de cette connaissance théologique et de votre connaissance du contexte socio-culturel de vos auditeurs pour préparer des messages corrects, intéressants et utiles. Pour bien effectuer ce travail, il faut consacrer du temps à une réflexion sur la présentation du message.

Les attitudes à développer dans l'exégèse

Le but de ce manuel n'est pas de donner aux étudiants un exemple complet du processus de l'exégèse, mais d'aider l'étudiant à comprendre différents aspects du processus. Nous pensons que ce manuel montre l'impossibilité de donner un exemple complet d'exégèse. La tâche d'exégèse n'est jamais complètement achevée. Personne ne peut étudier tous les détails disponibles pour l'exégèse, même pour un texte très bref. Personne ne peut maîtriser le contexte littéraire, intertextuel et historique d'un texte. Personne ne peut sonder toutes les possibilités d'application d'un texte à une situation historique aujourd'hui. Notre incapacité de compléter la tâche d'exégèse nous conduit à cinq conclusions.

1. L'exégète doit reconnaître ses faiblesses et écouter la voix d'autres exégètes. Les autres peuvent trouver les détails pertinents et importants que nous n'avons même pas aperçus.

2. L'exégète doit toujours évaluer son travail et le travail des autres. Personne n'est l'expert ayant toujours la bonne interprétation. Nous sommes tous faillibles et avons besoin de correction.

3. L'exégète doit chercher l'aide du Saint-Esprit. Le Saint-Esprit nous conduit dans la vérité. Il nous convainc de notre orgueil qui nous empêche d'écouter les autres. Il nous avertit par une voix intérieure contre les interprétations particulièrement nuisibles.

4. L'exégète doit apprendre à choisir les domaines de recherches les plus pertinents pour l'exégèse de son texte. L'exégète consciencieux n'a jamais le temps d'étudier le texte « comme il faut ». Il doit toujours faire des choix et limiter ses recherches. Selon notre conviction sur la ressemblance des contextes humains et l'applicabilité des exhortations bibliques sans beaucoup d'adaptation, nous donnons la priorité au contexte littéraire. Mais cette priorité n'est pas toujours la plus importante. Certains textes exigent plus de recherches dans le domaine du contexte historique. Même si nous sommes convaincus qu'il faut accorder la priorité au contexte littéraire, nous devons décider s'il faut consacrer notre temps à l'étude de la structure du texte, du vocabulaire du texte, du contexte proche ou du contexte large, etc.

L'exégète ne doit pas négliger la mise en application du texte. C'est le but ultime de l'interprétation, mais la tâche est souvent négligée parce que les conclusions sont moins sûres et parce que, selon la définition de l'exégèse, on s'arrête à la compréhension du texte dans son contexte historique. L'application est plutôt une tâche herméneutique.[129] Mais si les exégètes qui prennent au sérieux le processus de l'exégèse négligent de conduire leur travail jusqu'à la mise en application, les chrétiens seront obligés d'écouter ceux qui effectuent un travail moins soigneux.

---

[129] Fee, p. 1

BIBLIOGRAPHIE

Exégèse

FEE, Gordon D., *New Testament Exegesis : A Handbook for Students and Pastors*, 3ᵉ éd., Louisville, Westminster/John Knox, 2002.

GORMAN, Michael J., *Elements of Biblical Exegesis : A Basic Guide for Students and Ministers*, Peabody, Hendrickson, 2001.

Texte grec

BAUER, Walter, DANKER, F. W., ARNDT, et W. F., GINGRICH, F. W., *Greek-English Lexicon of the New Testament and Other Early Christian Literature*, 3ème éd., University of Chicago Press, 2000.

BROOKS, James A. et WINBERY, Carlton L., *Syntax of New Testament Greek*, Lanham/New York/Londres, University Press of America, 1979.

BRUCE, F. F., *Les documents du Nouveau Testament : Peut-on s'y fier ?*, Fontenay-sous-Bois, Opération Mobilisation, 1977.

BURTON, Ernest De Witt, *Syntax of the Moods and Tenses in New Testament Greek*, 3ᵉ éd., Edimbourg, T & T Clark, 1976.

CARREZ, Maurice, « La syntaxe », *Grammaire grecque du Nouveau Testament*, 6ème éd., Genève, Labor et Fides, 1985, p. 119-152.

DANA, H. E. et MANTEY, Julius R., *A Manual Grammar of the Greek New Testament*, Toronto, Macmillan, 1957.

FRIBERG, Barbara et Timothy et MILLER, Neva, *Analytical Lexicon of the Greek New Testament*, Grand Rapids, Baker, 2000.

GUY, Bernard et MARCOUX, Jacques, *Grec du Nouveau Testament*, Sherbrooke, Point de vue, 1999.

LEEDY, Randy A., *BibleWorks New Testament Greek Sentence Diagrams*, 2006.

LETOURNEAU, Pierre, *Initiation au grec du Nouveau Testament*, Montréal, Médiaspaul, 2010.

NIDA, Eugene A., *Bible Translating : An Analysis of Principles and Procedures, with Special Reference to Aboriginal Languages*, New York, American Bible Society, 1947.

NIDA, Eugene A. et TABOR, Charles R., *The Theory and Practice of Translation*, Leiden, Brill, 1969.

METZGER, Bruce M., *The Text of the New Testament : Its Transmission, Corruption, and Restoration*, 3ᵉ éd., New York/Oxford, Oxford University Press, 1992.

_____, *A Textual Commentary on the Greek New Testament*, Londres/New York, United Bible Societies, 1975.

ROBERTSON, A.T., *A Grammar of the Greek New Testament in the Light of Historical Research*, Nashville, Broadman, 1934.

THAYER, Joseph Henry, Thayer's *Greek-English Lexicon of the New Testament*, 1889, éd. électronique, International Bible Translators, Inc., 1998-2000.

WALLACE, Daniel B., *Grammaire grecque : Manuel de syntaxe pour l'exégèse du Nouveau Testament*, Charols, Excelsis, 2015.

WENHAM, J. W., « Résumé de grammaire : Syntaxe », *Initiation au Grec du Nouveau Testament*, 3ème éd., Paris, Beauchesne, 1965, p. 249-253.

Contexte littéraire

AUNE, David E., *The New Testament in Its Literary Environment*, Library of Early Christianity, éd. Wayne A. Meeks, Philadelphia, Westminster, 1987.

BAUER, David R. et TRAINA, Robert A., *Inductive Bible Study : A Comprehensive Guide to the Practice of Hermeneutics*, Grand Rapids, Baker Academic, 2011.

CLARK, Andrew C., *Parallel Lives : The Relation of Paul to the Apostles in the Lucan Perspective*, Paternoster Biblical and Theological Monographs, Carlisle, Paternoster, 2001.

DARR, John A., *On Character Building : The Reader and the Rhetoric of Characterization in Luke-Acts*, Louisville, Westminster/John Knox, 1992.

DRURY, John, « Luke », *The Literary Guide to the Bible*, éd. Robert Alter et Frank Kermode, Harvard University Press, 1987, p. 419-20.

_____, *Tradition and Design in Luke's Gospel : A Study in Early Christian Historiography*, Londres, Longman & Todd, 1976.

GASQUE, Ward, « A Fruitful Field », *Interpretation* 42, 1988, p. 117-31.

GREEN, Joel, *The Theology of the Gospel of Luke*, Cambridge University Press, 1995.

HARRISON, Randall A., *Manuel d'études inductives des récits du Nouveau Testament*, s.l, Entrust Publications, 2017.

JOHNSON, Luke Timothy, *The Literary Function of Possessions in Luke-Acts*, SBL Dissertation Series 39, éd. Howard C. Kee et Douglas A. Knight, Missoula, 1977.

KURTZ, William S., « Narrative Approaches to Luke-Acts », *Biblica* 68, 1987, p. 195-220.

MARGUERAT, Daniel et BOURQUIN, Yvan, *La Bible se raconte : Initiation à l'analyse narrative*, Paris-Genève-Montréal, Cerf-Labor et Fides-Novalis, 1998.

MINEAR, Paul, *To Heal and to Reveal : The Prophetic Vocation According to Luke*, New York, Seabury, 1976.

MORRIS, L., *Revelation*, London, Tyndale, 1971.

O'TOOLE, « Parallels between Jesus and His Disciples in Luke-Acts : A Further Study », *Biblische Zeitschrift* 27, 1983, p. 195-212.

POWELL, Mark Allen, *What is Narrative Criticism?* Minneapolis, Fortress, 1990.

PRAEDER, Susan Marie, « Jesus-Paul, Peter-Paul, and Jesus-Peter Parallelisms in Luke-Acts : A History of Reader Response », SBL Seminar Papers 23, éd. Kent Harold Richards, Chico, Scholars, 1984, p. 23-39.

ROSNER, Brian S., « Acts and Biblical History », in *The Book of Acts in Its First Century Setting*, vol. 1 *Ancient Literary Setting*, éd. Bruce W. Winter et Andrew D. Clarke, Grand Rapids, Eerdmans, 1993, p. 65-82.

SAMAIN, Etienne, « Le discours programme de Jésus à la synagogue de Nazareth Luc 4.16-30 », *Foi et vie* 11, 1971, p. 25-43.

STERNBERG, Meir, *The Poetics of Biblical Narrative: Ideological Literature and the Drama of Reading*, Indiana Literary Biblical Series, Robert M. Polzin, éd., Bloomington, Indiana University Press, 1985.

TANNEHILL, Robert C., *The Narrative Unity of Luke-Acts : A Literary Interpretation, Volume two : The Acts of the Apostles,* Minneapolis, Fortress, 1994.

Contexte intertextuel

FITZMYER, Joseph A., *The Gospel According to Luke I-X : Introduction, Translation and Notes,* The Anchor Bible 28, New York/ London, Doubleday, 1981.

_____, « The use of the Old Testament in Luke-Acts », Society *of Biblical Literature 1992 Seminar Papers,* éd. Eugene H. Lovering Jr., Atlanta, Scholars, 1992.

MOTYER, J. A., *The Prophecy of Isaiah : An Introduction and Commentary,* Downers Grove, InterVarsity, 1993.

MENZIES, William W. et Robert P., *Spirit and Power : Foundations of Pentecostal Experience,* Grand Rapids, Zondervan, 2000.

YOUNG, E. J., *The Book of Isaiah,* vol. 1, NICOT, Grand Rapids, Eerdmans, 1964.

Introductions, dictionnaires et encyclopédies

BROMILEY, Geoffrey W., éd., *The International Standard Bible Encyclopedia,* 4 vol., Grand Rapids, Eerdmans, 1988.

BUTTRICK, George A. et CRIM, Keith R., The *Interpreters Dictionary of the Bible,* Nashville, Abingdon, 1981.

CARREZ, Maurice, Dictionnaire de la culture biblique, Paris, Desclée de Brouwer, 1993.

FREEDMAN, David Noel, éd., *The Anchor Bible Dictionary,* 6 vol., Yale University Press, 1992.

HARRISON, Randall A., *Introduction aux Evangiles et aux Actes des apôtres,* notes préparées pour le cours d'Introduction aux Evangiles et Actes, FATEAC, février 2015.

KUEN, Alfred, *Introduction au Nouveau Testament 4ème volume : L'Apocalypse,* Saint-Légier, Emmaüs, 1997.

LAGRANGE, M.-J., *Introduction à l'étude du Nouveau Testament, 2e partie, Critique Textuelle II, La Critique Rationnelle,* 2e éd., Paris, Gabalda, 1935.

LOHSE, Eduard, *Le milieu du Nouveau Testament,* Paris, Cerf, 1973.

PACHE, René et KUEN, A., éd., *Nouveau Dictionnaire Biblique,* révisé et augmenté, Saint-Légier, Emmaüs, 1992.

TURNER, Max, *Power from on High: The Spirit in Israel's Restoration and Witness in Luke-Acts,* JPTSS 9, éd. John Christopher Thomas, Rickie D. Moore et Steven J. Land, Sheffield Academic, 1996.

Commentaires

BOCK, Darrell L., *Luke,* vol. 1, Baker Exegetical Commentary on the New Testament, Grand Rapids, Baker Books, 1994.

BRUCE, F. F., *The Book of Acts,* NICNT, Grand Rapids, Eerdmans, 1988.

CADBURY, Henry J., « Commentary on the Preface of Luke », *The Beginnings of Christianity Part I : The Acts of the Apostles,* vol. 2 Prolegomena II, Criticism, éd. F.J. Foakes Jackson et Kirsopp Lake, Londres, Macmillan, 1922, p. 489-510.

DUNN, James D. G., *Baptism in the Holy Spirit : A Re-examination of the New Testament Teaching on the Gift of the Spirit in Relation to Pentecostalism Today,* Studies in Biblical Theology, 2ème Série 15, Alec R. Allenson Inc., Naperville, 1970.

FITZMYER, Joseph A., *The Acts of the Apostles,* The Anchor Bible, New York, Doubleday, 1998.

_____, *The Gospel According to Luke I-X : Introduction, Translation and Notes*, The Anchor Bible 28, New York/Londres, Doubleday, 1981.

GREEN, Joel B., *The Gospel of Luke*, NICNT, Grand Rapids, Eerdmans, 1997.

HAENCHEN, Ernst, *The Acts of the Apostles : A Commentary*, Philadelphia, Westminster, 1971.

HARRISON, Randall A., *Bouleversé par l'Esprit : Une étude biblique sur la découverte de l'Esprit*, Abidjan, Entrust Publications et les Presses de la FATEAC, 2016.

_____, *L'Esprit dans le récit de Luc : Une recherche de cohérence dans la pneumatologie de l'auteur implicite de Luc-Actes*, Thèse présentée à la Faculté de Théologie Evangélique de Vaux-sur-Seine en vue d'obtenir le grade de Docteur en théologie, s.l., Entrust Publications, 2007.

KEENER, Craig S., *Acts : An Exegetical Commentary*, Vol. 3, Grand Rapids, Baker Academic, 2012.

_____, *Commentary on the Gospel of Matthew*, Grand Rapids, Eerdmans, 1999.

_____, *The IVP Bible Background Commentary : New Testament*, Downers Grove, InterVarsity, 1993.

KUEN, Alfred, *Le Saint-Esprit : Baptême et plénitude*, Saint Légier, Emmaüs, 1976, réimprimé en 2005 intitulé *Baptisé et rempli de l'Esprit*.

L'EPLATTENIER, Charles, *Le livre des Actes*, 2ème édition, Paris, Centurion, 1994.

LUTHI, Walter, *Les Actes des Apôtres*, trad. par Emile Marion, Genève, Labor et Fides, 1959.

MARGUERAT, Daniel, *Les Actes des apôtres*, 2 vols, 2ème éd. revue et corrigée, Genève, Labor et Fides, 2015.

_____, « Saul's Conversion (Acts 9, 22, 26) and the Multiplication of Narrative in Acts », *Luke's Literary Achievement : Collected Essays*, éd. C. M. Tuckett, JSNTSS 116, Sheffield Academic, 1995.

MARSHALL, I. Howard, *The Gospel of Luke : A Commentary on the Greek Text*, NIGTC, éd. I. Howard Marshall et W. Ward Gasque, Grand Rapids, Eerdmans, 1978.

NOLLAND, John, *L'Évangile de Luke 1-9.20*, Word Biblical Commentary, vol 35a, Dallas, Word, 1989.

SABOURIN, Léopold, *L'Évangile de Luc : Introduction et commentaire*, Rome, Editrice Pontificia Università Gregoriana, 1985.

WITHERINGTON III, Ben, *The Acts of the Apostles : A Socio-Rhetorical Commentary*, Grand Rapids, Eerdmans, 1998.

Textes anciens

BARRETT, C. K., *The New Testament Background : Selected Documents*, éd. révisée, San Francisco, Harper et Row, 1987.

DUPONT-SOMMER, André, *Les Écrits esséniens découverts près de la mer Morte*, Paris, Payot, 1959.

JOSEPHE, Flavius, *Œuvres complètes*, trad. en français sous la direction de Théodore Reinach, révisée et annotée par S. Reinach et J. Weill E. Leroux, Paris, Publication de la Société des études juives, 1900-1932.

LUCIAN, « How to Write History », Loeb Classical Library, éd. par G. P. Goold, *Lucian VI*, trad. par K. Kilburn, Cambridge/Londres, Harvard University, 1990, p. 1-73.

THUCIDIDE, *Peloponnesian War*, The Crawley Translation, New York, Random House, 1982.

ANNEXES

Annexe 1 : Les diagrammes d'Ac 1.4-8

Les diagrammes sont copiés de Randy Leedy, Greek New Testament Diagrams avec la permission de Bible-Works LLC., Copyright © 2005-2015. Nous avons modifié le diagramme d'Ac 1.4-5. Dans le diagramme de Leedy, la conjonction καὶ relie la proposition d'Ac 1.4-5 à la proposition relative d'Ac 1.3, créant une très longue phrase d'Ac 1.1-5. Nous pensons que cette conjonction relie deux phrases indépendantes (Ac 1.1-3 et 1.4-5) selon la pratique de l'hébreu et du grec parlé à l'époque du Nouveau Testament.[125] Dans le diagramme d'Ac 1.9 de Leedy, la conjonction « καὶ » joue le même rôle. Elle relie la phrase d'Ac 1.7-8 à la phrase d'Ac 1.9. La différence de traduction se trouve dans la ponctuation et la division en paragraphes. Une proposition indépendante suit un point final et peut commencer un nouveau paragraphe. Une proposition subordonnée est liée à la proposition précédente et ne peut commencer un nouveau paragraphe.[126]

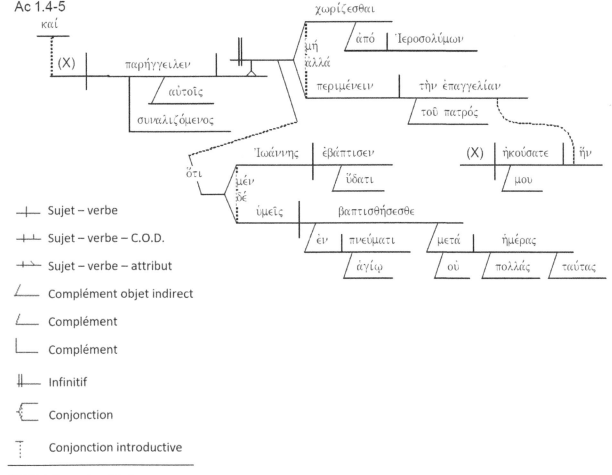

Ac 1.4-5

—┼— Sujet – verbe

—┼┴— Sujet – verbe – C.O.D.

—┼⟍— Sujet – verbe – attribut

╱— Complément objet indirect

╱— Complément

└— Complément

╫— Infinitif

⧘— Conjonction

⊤ Conjonction introductive

---

[125] BDAG, « καὶ », 1.b.β.

[126] NA28 donne la ponctuation pour une proposition subordonnée, mais bien d'autres versions grecques soutiennent une proposition indépendante : UBS 3è éd., WH, Tischendorf, Alford, Von Soden, Scrivener. Les traductions suivantes en français mettent un point à la fin du verset 3 (NEG, TOB, Bible de Jérusalem, Français Courant, Darby, Louis Second).

Act 1:6

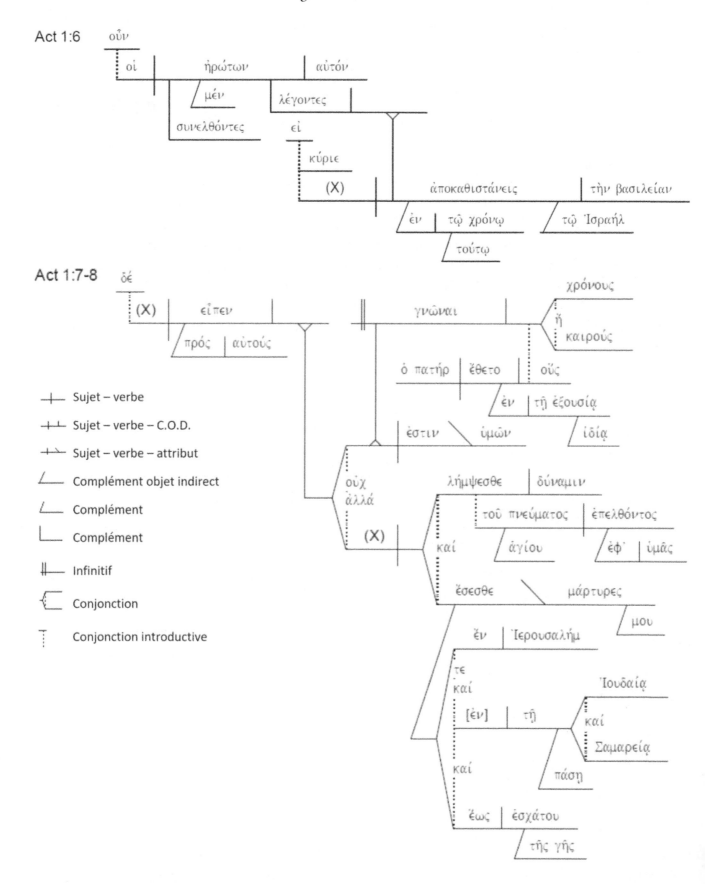

Act 1:7-8

- ┼─ Sujet – verbe
- ┼┴ Sujet – verbe – C.O.D.
- ┼↘ Sujet – verbe – attribut
- ∕── Complément objet indirect
- ∕── Complément
- └── Complément
- ‖─ Infinitif
- ⊂ Conjonction
- ⊤ Conjonction introductive

Annexe 2 : Les diagrammes d'Ac 18.24-26

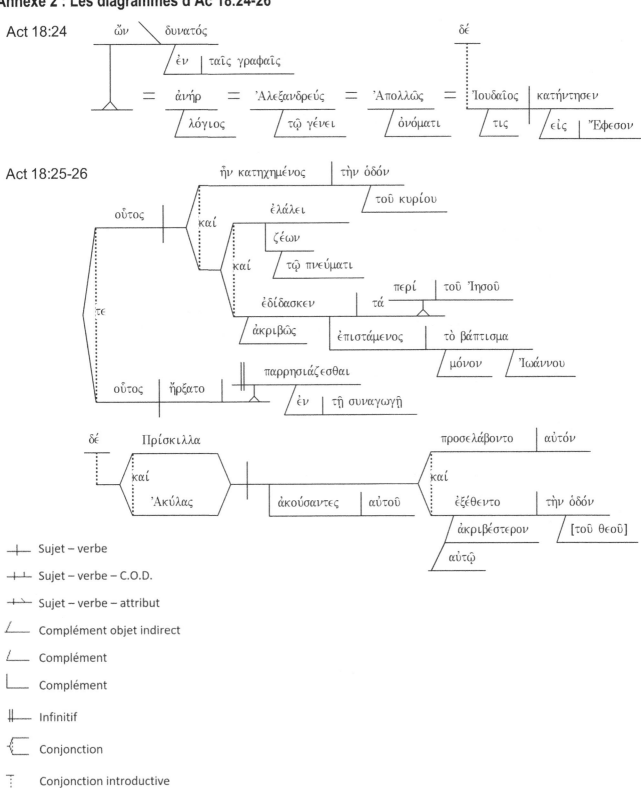

Act 18:24

Act 18:25-26

—+— Sujet – verbe

—+⊥— Sujet – verbe – C.O.D.

—+>— Sujet – verbe – attribut

∠—— Complément objet indirect

∠—— Complément

L—— Complément

⊩—— Infinitif

⊰ Conjonction

⊤ Conjonction introductive

= Appositif

Annexe 3 : Catégories d'unités de texte logiques

Division : un terme général pour parler de toutes les unités logiques du découpage d'un livre

Subdivision : un terme général pour parler d'une division d'une division

Terme : un mot ou une expression, la plus petite unité d'un texte

Proposition : un énoncé qui exprime une relation entre deux ou plusieurs termes

Phrase : tout assemblage linguistique d'unités qui fait sens (mots et morphèmes grammaticaux) et que l'émetteur et le récepteur considèrent comme un énoncé complet ; unité minimale de communication

Paragraphe : une division d'un écrit en prose, offrant une certaine unité de pensée ou de composition

Sous-section d'un épisode : une division d'une section d'un épisode, offrant une certaine unité de pensée ou de composition

Section d'un épisode : une division d'un épisode, offrant une certaine unité de pensée ou de composition

Épisode : l'unité logique de base dans la composition des récits du Nouveau Testament, offrant une certaine unité de pensée ou de composition, signalée le plus souvent par des phrases de transition, très souvent par une introduction précisant le cadre dans lequel l'épisode a lieu, et parfois par une conclusion

Sous-section d'une partie : une division d'une section d'une partie d'un livre, offrant une certaine unité de pensée ou de composition

Section d'une partie : une division d'une partie d'un livre, offrant une certaine unité de pensée ou de composition

Partie : une grande division d'un livre composée d'un ensemble d'épisodes, souvent regroupés en sections et sous-sections, offrant une certaine unité de pensée ou de composition

Livre : un ouvrage écrit, offrant une certaine unité de pensée ou de composition, composé de plusieurs parties arrangées logiquement pour communiquer cette unité de pensée ou de composition

Annexe 4 : Catégories de liens logiques de composition

Récurrence : La répétition des éléments (unités de texte) semblables ou identiques (termes, expressions, propositions, liens de composition).

Liens sémantiques : Liens entre unités de textes qui communiquent un sens logique.

Liens d'anticipation : La première unité de texte anticipe la deuxième.

Introduction ou préparation/réalisation : L'auteur introduit une unité de texte et prépare le lecteur à la lire en communiquant des informations pour la comprendre ou pour la situer dans son contexte.

Liens de comparaison : Deux unités de texte sont comparées dans le but de souligner les similitudes (comparaison) ou les différences (contraste).

Comparaison : une association de choses semblables ou de choses dont l'auteur veut souligner les similitudes.

Contraste : une association de choses opposées ou de choses dont l'auteur veut souligner les différences.

Liens de causalité : Ce qui est dit ou fait dans une unité de texte est la cause ou l'effet de ce qui est dit ou fait dans une autre unité.

Cause à effet : La première unité de texte est la cause pour l'effet dans la deuxième.

Justification ou explication : Le deuxième unité de texte justifie ou explique la première.

Annonce du but : L'auteur annonce explicitement le but de son livre (cause), dans une unité de texte. Puis il essaye d'accomplir ce but dans le reste de son livre (effet)

Liens de résumé : Ce qui est écrit dans une unité de texte résume ce qui est écrit en détails dans une autre.

Mise en détail : Une unité de texte dans laquelle l'auteur raconte ou explique des choses en termes généraux (un énoncé général) est suivie par une autre unité dans laquelle il raconte ou explique les mêmes choses en détail.

Mise en résumé : Une unité de texte dans laquelle l'auteur raconte ou explique des choses en détail est suivie d'une autre dans laquelle il résume ce qu'il a raconté ou expliqué en détail.

Table des matières : Une mise en détail ou une mise en résumé dans laquelle chaque élément dans l'énoncé général est détaillé dans l'unité des détails. Le résumé ressemble à une véritable table des matières.

Liens de réponse : La deuxième unité de texte est une réponse à la première.

Interrogation : Une unité de texte dans laquelle une question est exprimée, suivie d'une unité dans laquelle la réponse à cette question est donnée.

Problème/solution : Une unité de texte dans laquelle un problème se présente, suivie d'une unité dans laquelle la solution à ce problème est donnée.

Liens complexe : Plusieurs liens sont associés pour former un lien.

Sommet : Une ou plusieurs récurrences (petites unités) conduisent vers un point culminant, qui se trouve le plus souvent vers la fin d'une unité de texte plus grande.

Pivot : Le moment charnière d'un récit, correspondant à un changement radical. Les éléments (unités de texte) précédant le moment charnière (unité de texte) se trouvent en contraste avec les éléments (unités de texte) suivant le moment charnière.

Liens rhétoriques : L'arrangement des éléments dans un texte selon un certain ordre ou placement dans le but de créer un effet.

    Inclusio : La répétition de termes ou de phrases, encadrant une unité de texte.

    Chiasme : La répétition des éléments dans l'ordre inverse : a-b-b'-a' ou a-b-c-b'-a'.

    Alternation : La répétition des éléments du texte selon le schéma a-b-a-b.

    Intercalation : L'insertion d'une unité littéraire (un récit) à l'intérieur d'une autre.

Tableau des liens entre deux unités de texte

Nom du lien	1ère unité de texte	Symbole du lien	2ème unité de texte
Introduction	Introduction	I →	Ce qui est introduit
Préparation/réalisation	Préparation	P → R	Réalisation
Comparaison	Elément comparé	≈	Elément comparé
Contraste	Elément contrasté	c.	Elément contrasté
Cause à effet	Cause	→	Effet
Justification	Effet	←	Justification
Mise en détail	Enoncé général	→ - - -	Détails
Mise en résumé	Détails	- - - →	Enoncé général
Interrogation	Question	? →	Réponse
Problème/solution	Problème	? →	Solution

Tableau des liens entre plusieurs unités dans une unité de texte plus grande

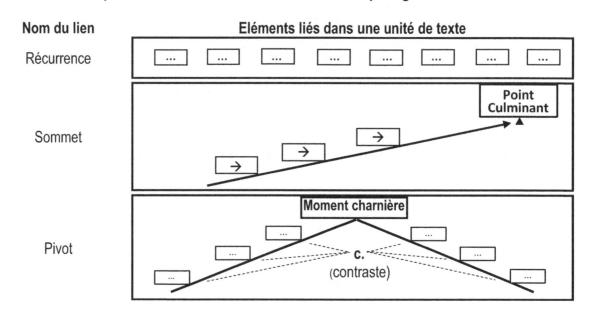

TABLE DES FIGURES

Autres livres par le même auteur

Bouleversé par l'Esprit : Une étude biblique sur la découverte de l'Esprit

Bouleversé par l'Esprit s'ouvre avec le récit d'une manifestation bouleversante de la puissance de l'Esprit dans l'expérience vécue de l'auteur. Cette expérience sert de tremplin pour une étude biblique approfondie sur les différentes expériences avec l'Esprit décrites dans l'Evangile selon Luc et les Actes des apôtres. Expérience passionnée et recherches bibliques solides se réunissent dans cette étude importante.

En prêtant attention aux passages bibliques divers ignorés parfois par des lecteurs de tel ou tel groupe, *Bouleversé par l'Esprit* par Randall A. Harrison fournit une théologie biblique exceptionnellement équilibrée de l'Esprit et de sa puissance pour la mission. Il la communique de manière biblique et passionnée en se focalisant sur l'essentiel - la présence et la puissance de Dieu dans notre mission pour lui.

--Craig Keener, professeur d'Etudes bibliques, Asbury Theological Seminary

L'Esprit dans le récit de Luc : Une recherche de cohérence dans la pneumatologie de l'auteur implicite de Luc-Actes

L'Esprit dans le récit de Luc est une thèse présentée à la Faculté Libre de Théologie Evangélique à Vaux sur Seine, France en vue d'obtenir le grade de docteur en théologie. L'auteur démontre la cohérence de la pneumatologie de l'auteur implicite de Luc-Actes en examinant les différentes expressions décrivant l'activité du Saint-Esprit à la lumière du but explicite de l'auteur, sa stratégie pour accomplir ce but et le rôle de l'Esprit dans l'accomplissement de ce but. Cette thèse a servi de base pour *Bouleversé par l'Esprit*.

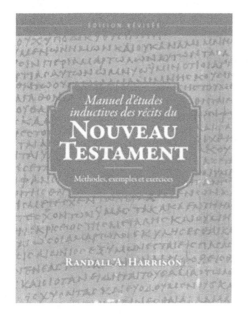

Manuel d'études inductives des récits du Nouveau Testament : Méthodes, exemples et exercices (Edition révisée)

Ce *Manuel d'études inductives des récits du Nouveau Testament* fournit aux étudiants soigneux de la Bible des outils efficaces pour examiner les récits de la vie de Jésus et de ces disciples. Leurs paroles et leurs actes deviennent plus clairs dans le contexte de chaque ouvrage. De riches découvertes seront la récompense des chercheurs qui applique cette méthode à l'étude de Matthieu, Marc, Luc-Actes de Jean.

TABLE DES MATIÈRES